W9-ATJ-674

Jorge Garfunkel

---

59 SEMANAS Y MEDIA

DEL MISMO AUTOR
por nuestro sello editorial

LA CONSPIRACIÓN DE LOS BANQUEROS
ALFONSO Y SUS FANTASMAS

Jorge Garfunkel

59 SEMANAS Y MEDIA

EMECÉ EDITORES

Diseño de tapa: *Eduardo Ruiz*

Alsina 2062 - Buenos Aires, Argentina

Primera edición en offset: 4.000 ejemplares.

Impreso en Compañía Impresora Argentina S.A., Alsina 2041/49,
Buenos Aires, diciembre de 1989.

IMPRESO EN LA ARGENTINA - PRINTED IN ARGENTINA
Queda hecho el depósito que previene la ley 11.723.

I.S.B.N.: 950-04-0918-6
201.285

A Matías, mi hijo,
y a su amigo Lolo,
quienes compartieron
momentos excepcionales.

AGRADECIMIENTO

A lo largo del año que cubre esta crónica he conversado y discutido con políticos, empresarios y técnicos los problemas con que nos enfrentaba la realidad. Indudablemente, la responsabilidad por las líneas que siguen, las opiniones y las dudas, son enteramente mías. Sin embargo debo reconocimiento a muchas personas que me brindaron consejos, opiniones y experiencias valiosas. Particularmente a Marcelo Stubrin, Jesús Rodríguez, José Luis Machinea, Juan Sommer, Federico Polak, Carlos Pérez Llana, Mario Vicens. Gracias también por el tiempo que me han dedicado Eduardo Bauzá, José Luis Manzano, Emilio Mondelli. A César Aira, que ha leído el borrador y como siempre, con su tradicional calidez y bonhomía logró, con sus correcciones y observaciones, hacerlo más legible.

Pero un párrafo muy particular de agradecimiento merece el licenciado Carlos Iglesias, quien no sólo investigó, buscó y ordenó material sobre el que se basa esta crónica, sino que además elaboró ideas, escribió y discutió muchas veces mi simplismo analítico. Su rigor metodológico fue uno de los principales escollos que tuve que salvar. Las horas de discusión y su profunda dedicación para llevar adelante partes enteras de este material deben ser justamente reconocidas.

Gracias a Marcos Garfunkel, mi padre, quien en forma permanente me instó a ver los aspectos positivos del futuro de nuestro país, aun en los momentos más difíciles.

Me queda por último agradecer largas horas de café, de conversación, de preocupación compartida por nuestro país, al ingeniero Manuel Madanes, hoy ausente, pero cuyo recuerdo de arquetipo como ser humano será paradigma para muchos.

INTRODUCCION

Antes de 1930 la Argentina era la octava potencia económica del mundo. Los cincuenta años siguientes, la humanidad los pasó ocupada en hacer vertiginosos la historia y los progresos científicos y técnicos; los argentinos, de algún modo, nos las arreglamos entretanto para mantenernos al margen de todo vértigo, o para entrar en uno de signo negativo. En 1987, el país ocupaba el puesto 84 en el ránking global, justo encima de Panamá (y el día de mañana podríamos estar justo *abajo* de Panamá).

¿Qué pasó? ¿Por qué este virtuosismo de la decadencia? Pasó que la Argentina, tan absorta en sus sueños, se sustrajo de la Historia. En efecto, quien siga con atención el proceso económico de nuestro país, verá que en el presente siglo la ladera, lamentablemente en descenso, está puntuada por cuatro mesetas, en 1930, en 1945, en 1973 y en 1982, que coinciden con los momentos de inflexión en el orden económico-político y social del escenario internacional: la crisis del 30 y la modificación del comercio que trajo aparejada, la posguerra y los nuevos espacios económicos, la crisis del petróleo y la modificación de los precios relativos, y por último la crisis de la deuda y el replanteo de las finanzas internacionales.

En el mundo, estos espasmos, todos ellos catastróficos a su modo, sirvieron para replantear las condiciones y en última instancia promover (o hacer necesarios) los cambios. No sirvieron en cambio para que la Argentina se renovara y abriera su sistema productivo (empresarial y sindical) a las grandes transformaciones que empezaron a sucederse. Muy por el contrario, en el país se fue acentuando la resistencia al cambio y a la introducción de pautas culturales que implicaran patrones de producción nuevos. Esta resistencia se manifestó en altas barreras arancelarias, reservas de mercado, inflexibilidad del mercado laboral y prerrogativas por ramas industriales.

El cuadro siguiente revela en cifras el deterioro de la Argentina en el largo plazo: en 1950 su ingreso per cápita era superior al de Austria, Italia, Grecia, Portugal o España, y al de todas las sociedades del Extremo Oriente, incluido Japón. En una generación, todas estas economías desplazaron a la Argentina. Mientras países "semiperiféricos" como España o Brasil, o plenamente periféricos, como algunos de Asia, pasaban por un proceso de "reclasificación" ascendente, la Argentina perdía posiciones en términos absolutos.

PRODUCTO BRUTO POR HABITANTE (1)
(en dólares)

	En precios de 1975					
	1950	1960	1966	1973	1980	1985
Argentina	1.877	2.124	2.350	3.045	3.209	2.719
Brasil	637	912	985	1.624	2.152	2.072
Austria	1.603	2.764	3.488	4.837	6.052	6.565
Italia	1.379	2.313	2.962	3.071	4.661	4.808
Japón	810	1.674	2.810	5.025	5.996	7.130
Grecia	905	1.385	2.024	3.334	3.946	3.990
Portugal	733	1.137	1.501	2.015	3.092	3.155
España	1.163	1.737	2.730	3.841	4.264	4.336
Corea del Sur	——	631	798	1.356	2.007	2.648
Singapur	——	1.054	1.306	2.689	3.948	5.001
Taiwan	508	733	1.005	1.691	2.522	3.160

(1) **Fuente:** TECHINT, Boletín Informativo, Nº 247, Mayo/Junio de 1987.

Lo menos que prueban estos números es la existencia de un problema, de una falla, quizá de una perversión, que está echando a perder las oportunidades en el país. El gran trauma reciente, el de la deuda externa, debería decirnos algo al respecto. Entre 1978 y 1982 nuestra deuda pasó de 7.800 millones de dólares a 43.600 millones. Y esos números, graves en sí, no lo son tanto como el hecho de que este crecimiento es igual al que se supone que tuvieron las inversiones de argentinos fuera del país, según el BIS (Bank of International Settlement, de Basilea). He aquí una discrepancia, podría decirse, entre la Argentina y los argentinos, que lo ha vuelto todo más difícil, y la reconciliación no parece haber madurado todavía. Lo cual es lamentable, pues la posibilidad de un compromiso entre capitalismo y democracia es uno de los puntos clave en la transición del autoritarismo a la democracia.

Otro de los problemas centrales de las sociedades democráticas es la relación que se establece entre el Estado y los actores sociales, básicamente sindicatos y empresas. Más aún: el éxito político está asociado a la correcta gestión de la administración de los intereses que ligan al Estado con estos sectores. Puede afirmarse que sin estas modalidades de gestión económico-política, difícilmente las democracias industriales habrían alcanzado los niveles de desarrollo que muestran hoy. Y a la recíproca, esta gestión colectiva facilitó el consenso social en situaciones de crisis agudas —como la de posguerra— y ayudó a la consolidación de los regímenes políticos.

En la Argentina los mecanismos de concertación y gestión intersectorial se iniciaron bajo el primer gobierno justicialista. Los sectores del capital y del trabajo pudieron armonizar sus conflictos acompañados por una política de acumulación y de distribución diseñada por el poder político y ejecutada desde el Estado. El mecanismo era viable, pero no tuvo el consenso suficiente. Las fuerzas políticas opositoras no lo entendieron y lo cuestionaron sistemáticamente. La Unión Cívica Radical privilegió una visión institucional de la representación política, que se basaba en la representación y la articulación social a través del Congreso. La izquierda, por su parte, adhirió a una centralidad del hecho revolucionario por encima de la visión evolutiva de las sociedades.

Lo que sigue es una crónica de los últimos diez meses del gobierno radical, y los tres primeros del justicialista: un año que no olvidaremos tan fácilmente. Está centrada en el aspecto económico, al que me inclina mi formación y mi actividad, y en la realidad, porque fue un año centrado como pocos en la cuestión económica.

El lector encontrará más datos que interpretaciones. De hecho, he querido trazar una crónica en el viejo estilo: qué pasó un día, qué pasó al día siguiente, y al siguiente... Un ayuda-memoria, en suma, ahora que los diarios no están todavía en los archivos, y las sensaciones que nos produjo leerlos están frescas.

El sistema anticuado de la crónica asegura al menos un mínimo de objetividad. Si se trata de poner los hechos que pasaron en el orden en que pasaron, es más difícil hacerlos decir lo que impone un interés o una visión particulares. He intentado hacer hablar nada más que al ciudadano que hay en mí, un ciudadano quizás algo más atento que el promedio al hecho económico, pero representativo de todos modos de cualquier ciudadano, y por ello del conjunto social.

Otra ventaja del método es que desalienta las grandes explicaciones abarcadoras y omnipotentes. La lectura mostrará que existe también un orden de causas modestas y cotidianas, que los libros de Historia suelen ignorar. Lo que sucedió un viernes estuvo determinado, sí, por condicionantes sociales, políticos, históricos, demográficos... pero también, y quizá mucho más, por lo que sucedió el jueves.

Esto no significa anular las interpretaciones; al contrario, pretende multiplicarlas por tantos lectores como tenga esta crónica. Pero a condición de que el lector haga funcionar sus pequeñas células grises. Y ahí está la intención central de mi trabajo: abrir un debate. La presentación lineal de los hechos, en un hilo cronológico, pretende hacer ver que la historia contada no es tan lineal. Y si el acento está puesto sobre el aspecto económico, es precisamente para mostrar que las causas y los efectos no fueron sólo económicos; tampoco fueron sólo políticos, ni sociales, ni culturales, sino más bien una madeja en la que se entremezclaban e interactuaban todos los aspectos. El económico, que estuvo en primer plano durante estos meses, fue el escenario privilegiado en el que actuaron todas las fuerzas sociales.

El año cubierto por esta crónica tuvo como epicentro el cambio de gobierno, la transición peleada, esperada, inesperada, demorada, precipitada, de Alfonsín a Menem. En nuestro país, los cambios de gobierno abruptos son la regla. Las pocas veces que hubo un reemplazo preparado con cierta calma (el de Videla por Viola), tampoco sucedió sin traumas (entre Martínez de Hoz y Sigaut hubo uno de nuestros tantos temblores de tierra). Con las instituciones democráticas en pleno funcionamiento podríamos haber esperado esta última vez un cambio más ordenado; fue todo lo contrario.

Puedo arriesgar dos causas para que haya sido así. Una fue la vaguedad con que Menem anunció su política económica durante la campaña. De haber sido claro y explícito, al ganar las elecciones el cambio de portafolio no habría sido tan dramático, y la apuesta Australes vs. Dólares no se habría generado. La otra fue el mal estado en que llegó a las elecciones la administración radical. Veremos el detalle de los últimos meses durante la crónica, pero hubo fallas anteriores, y es probable que haya habido una falla de origen, un error de diagnóstico en el comienzo mismo del gobierno radical. O unos cuantos errores: Se evaluó mal el contexto internacional, y Alfonsín inició su tarea con objetivos que respondían a una visión veinte años atrasada (el ministerio Grinspun fue el resultado de esa mala evaluación). Se confió en la ayuda de la socialdemocracia europea, sin advertir que poco podía esperarse más allá de un apoyo en palabras y gestos. Se pensó que la crisis de la deuda podría solucionarse de algún modo (esto no es reprochable en sí: uno siempre tiende a pensar que los problemas tienen solución). Se subestimó al sistema corporativo empresario, cuya fuerza para cerrar la economía hizo parecer pigmeos los esfuerzos por abrirla. Y estaban además los problemas crónicos: la inflación, el desequilibrio fiscal...

A todo lo anterior se le sumó, a partir del 6 de setiembre de 1987, una crisis de legitimidad. El partido oficialista había perdido una elección, y el poder comenzó a escapársele de las manos. Para entonces el diagnóstico se había afinado, pero esa mejor visión indicaba la profundidad de la transformación necesaria y, para hacer tanto, para una cirugía tan drástica, se necesitaba mucho poder, mucho consenso. ¿De dónde sacarlo? Quizás en las elecciones del 89... A partir de ahí, vino el último error: empezar a gobernar con la mirada fija en las elecciones, que estaban tan cerca, a menos de un año.

Veamos qué pasó entonces.

CAPITULO UNO

EL PLAN PRIMAVERA

Del 2 de agosto de 1988
al 3 de febrero de 1989

I
POR QUE HUBO PRIMAVERA EN EL 88

Un gobierno pone en marcha un "Plan" sólo cuando las circunstancias lo exigen. Caso contrario, se limita a seguir los planes naturales y tácitos que dirigen su marcha rumbo a la prosperidad y el bienestar de sus gobernados, planes que en realidad no existen porque no son más que las estrategias más o menos fatalmente pragmáticas para que un país siga funcionando. A algo tan arriesgado y engorroso como un "Plan" en forma sólo lo justifica la necesidad, o el optimismo.

Al optimismo a su vez sólo lo justifica en términos prácticos el comienzo de una administración. En agosto de 1988, con sólo un año por delante y las elecciones en mitad de ese año, el gobierno radical tuvo apenas motivos a medias, y en los que se encarnizó la suspicacia opositora, para lanzar el Plan Primavera. Ese poético nombre abarcó en realidad dos cosas: un "Programa para la Recuperación Económica y el Crecimiento Sostenido", con ambiciosos objetivos de reforma estructural, y un "paquete" de medidas coyunturales que fue el Plan Primavera propiamente dicho.

Este último tenía un objetivo central y en los hechos casi excluyente: frenar la inflación. Motivos no faltaban. El dato clave de los meses previos a su lanzamiento era una fuerte aceleración inflacionaria. Era lo que se veía, el tema de conversación, y lo que preocupaba a la gente. No se necesitaba mucho olfato para percibirlo desde el gobierno.

Pero a esa altura, cualquier decisión que en el área económica implementara el gobierno se enfrentaba con el obstáculo que significaba el descrédito y escepticismo general sobre su capacidad y convicción para superar los problemas. Se había cristalizado, en formadores de opinión y en el público, la idea de que el partido gobernante había desaprovechado dos grandes oportunidades para realizar sustanciales cambios en la economía: cuando contando con la acumulación de poder que derivó del triunfo electoral de 1983 se entregó, en una primera etapa, a un proyecto económico tibiamente redistributivo de raíz keynesiana, que ya no se adaptaba a la realidad del país; y cuando no acompañó el éxito inicial del Plan Austral de 1985 y 1986 con medidas de fondo que permitieran una transformación profunda de la economía. Se había llegado a un punto en que el tema económico adquiría prioridad sobre todos los otros, y todas las decisiones que se tomaran en adelante (entre ellas la decisión de votar por uno u otro) pasarían por ahí.

El rebrote inflacionario que se vivía desde la primera mitad del 88 obedecía a una reanudación de la puja de precios relativos, junto con la dificultad crónica de contener el déficit fiscal e impedir que distorsionara la política monetaria. Tras un breve congelamiento en octubre del 87, los precios industriales iniciaron un proceso de liberación paulatina que culminó en abril del 88; a partir de esta segunda fecha las empresas se apresuraron a recomponer sus márgenes de utilidad. Precios y tarifas superaron los índices inflacionarios, y los realimentaron. El aumento, en términos reales, de las tarifas públicas se debía en parte a la incorporación de impuestos destinados a paliar urgencias fiscales específicas, como los déficits provinciales. Una vez largada la carrera, nada quedó fuera de ella: las devaluaciones superaron el crecimiento de los precios al consumidor y los precios agropecuarios subieron en razón del alza internacional de los granos. Entre febrero y agosto del 88 los índices de inflación fueron de dos dígitos, mientras el salario real sufría una caída del nueve por ciento. La disminución consiguiente del consumo interno fue compensada parcialmente por el efecto expansivo de las exportaciones agropecuarias e industriales, aunque no bastó para que el nivel de actividad general mostrara una marcada tendencia declinante.

El cuadro no era todo negativo: el sector externo presentaba en la primera mitad de 1988 un superávit comercial muy superior al de 1987, y un nivel de reservas creciente a consecuencia de la suspensión del pago de intereses a los Bancos comerciales a partir del mes de abril.

Sí era negativa, y alarmante, la situación monetaria y fiscal. Desde comienzos del 88 comenzó a decaer la aceptación de la deuda voluntaria por parte del público, y junto con ella los niveles de monetización. En consecuencia, el gobierno debió apelar cada vez más a la elevación de las tasas nominales para sostener el nivel de depósitos del sistema, y a los encajes y depósitos indisponibles para su financiamiento. Esta era la primera señal de un funcionamiento que se agudizaría hacia fines de 1988 y comienzos de 1989, con efectos nefastos sobre la estabilidad de la economía.

Todo esto se evaluaba desde un prisma muy particular: a mediados del año siguiente habría elecciones. Pues bien, en agosto de 1988 el equipo económico radical lanzó el "Programa para la Recuperación Económica y el Crecimiento Sostenido", que consistía en un diagnóstico de la crisis y el anuncio de una serie de medidas para eliminar lo que se consideraba eran las causas de fondo del estancamiento y la inestabilidad. Los tiempos políticos y económicos del lanzamiento y la implementación de las medidas eran variados: desde meses a más de un año. Pero como los tiempos electorales urgían, el programa se complementó con otra serie de medidas de corto plazo destinadas fundamentalmente a reducir la inflación, medidas que se compatibilizaban y complementaban, aunque a veces no sin dificultad, con el Programa. Este conjunto de instrumentos de corto plazo fue lo que se denominó el "Plan Primavera".

II
EL PROGRAMA PARA LA RECUPERACION ECONOMICA

"La Argentina está en una etapa de cruciales decisiones. Si el país es capaz de acelerar sus esfuerzos para integrar su economía al mundo, reformar el Estado (es decir, la modernización del aparato estatal más la desregulación de los mercados) y llevar a cabo un programa de financiamiento externo, será posible superar los obstáculos que podrían impedir su crecimiento sostenido en los años venideros. El gobierno ha formulado un programa de acción que podrá sacar al país de una inflación endémica y llevarlo hacia un futuro más promisorio. Su éxito final no depende sólo de las convicciones de la actual administración sino además de la determinación con que todos los argentinos perseveren en el programa de reformas, como también de la firmeza con que las contrapartes financieras de la Argentina trabajen junto con el gobierno para poner en marcha este programa con vistas a asegurar la inversión y el crecimiento."(1)

Estas palabras oficiales, harto realistas aun dentro de su optimismo, resumían los prerequisitos e insinuaban la lógica (y las

---

(1) **Fuente:** "Programa para la Recuperación Económica y el Crecimiento Sostenido", agosto de 1988.

restricciones) del "Programa para la Recuperación Económica y el Crecimiento Sostenido".

La estrategia implicaba una acción profunda y combinada en varios frentes. En primer plano estaban las reformas fiscales destinadas a reducir el déficit hasta "un mínimo compatible con su financiamiento externo". En la práctica esto implicaba mejoras en la recaudación, restricción en los gastos públicos, reestructuración de las empresas del Estado y un proceso de desregulación y privatizaciones. Las reformas propuestas en el sector financiero pretendían hacerlo menos dependiente de los fondos del Estado, lo que le permitiría "desempeñar su función primordial de movilizar ahorros en pos de la inversión". La estrategia de apertura estaba dirigida a expandir el horizonte de acción de las empresas industriales y a liberarlas de un "sistema de restricciones normativas e incentivos particularizados que deterioran la productividad de la inversión".

Los elementos centrales del Programa en relación a la integración al mundo y a la reforma del Estado eran los siguientes:

La integración al mundo

Se partía del supuesto de que la Argentina no tendría un crecimiento sostenido ni estabilidad macroeconómica en el marco de una economía cerrada, donde el nivel de actividad dependiera en última instancia del valor de las exportaciones de granos, donde una industria altamente protegida vendiera alrededor del noventa por ciento de su producto en el mercado interno, y donde las decisiones de inversión fueran en su mayor parte tomadas directamente por el Estado a través de sus empresas o inducidas por él mediante subsidios. Se afirmaba también que el carácter cerrado de la economía afectaba la estabilidad macroeconómica. Por un lado, las oscilaciones de los precios internacionales de los granos provocaban una inestabilidad recurrente de los precios relativos internos; por otro lado, en una economía cerrada y sin capacidad de expansión privada autónoma, el Estado era sobreexigido por las demandas del sector privado, lo que volvía extremadamente difícil el equilibrio fiscal.

Las medidas principales que se adoptarían para avanzar en dirección de la integración eran:

—Mantenimiento de un tipo de cambio competitivo.

—Reducción de las restricciones cuantitativas a la importación (que consistía en la intervención previa de la cámara empresaria respectiva), a menos de 10% del nomenclador arancelario.

—Reducción de la tasa arancelaria promedio a 30% y también del nivel de dispersión de los aranceles.

—Llevar todos los aranceles a la banda 5-40%.

—Introducción de un mecanismo antidumping congruente con el GATT. (Se establecerían mecanismos de obtención de información del importador y del productor extranjero similares a los de la Comunidad Económica Europea.)

—Continuar la reducción de los impuestos a las exportaciones no agropecuarias.

—Eliminación gradual de los subsidios fiscales para la exportación. No serían autorizados nuevos PEEX (Programas Especiales de Exportación) ni ampliados los vigentes.

—Simplificación y liberación de los procedimientos de exportación, especialmente los que afectaban a las pequeñas y medianas empresas.

El gobierno hacía notar que estas medidas no hacían sino profundizar la tendencia marcadas por algunas iniciativas puestas en marcha durante 1987, entre ellas:

1) La extensión y automatización del régimen de admisión temporaria.

2) La eliminación de los derechos de exportación de 800

productos del nomenclador arancelario de exportación.

3) Programa de reintegro de los impuestos indirectos contenidos en las exportaciones compatible con el GATT.

4) Reducción de los aranceles de importación sobre el hierro, el acero, productos petroquímicos, agroquímicos y otros derivados del papel.

Reforma del Sector Público

Desde la perspectiva del Programa, "los desequilibrios de las finanzas públicas fueron un factor decisivo en los sucesivos fracasos de los intentos de estabilización económica".

El gobierno impulsaba desde comienzos de 1988 una serie de medidas orientadas a reducir el desequilibrio presupuestario; entre ellas se pueden mencionar:

1) Implantación del ahorro obligatorio y aumento en la tasa del impuesto a los cheques.

2) Creación de impuestos sobre los combustibles líquidos y gaseosos y sobre las tarifas telefónicas a fin de corregir desequilibrios estructurales del sistema previsional.

3) Aumento de los impuestos internos y de sellos.

4) Instrumentación de sistemas bien definidos de participación entre el gobierno central y los provinciales en los tributos federales.

5) Financiamiento de la inversión en empresas públicas a través de aumentos tarifarios; control de su gasto, desmonopolización y desregulación de las actividades de algunas de ellas y comienzo de los estudios tendientes a concretar la privatización parcial selectiva (por ejemplo, Aerolíneas Argentinas, ENTel y Ferrocarriles).

6) Modificación del régimen de "compre nacional".

Estas medidas, algunas ya iniciadas y otras esperando turno, involucraban "un esfuerzo sostenido tendiente a eliminar el déficit estructural en tres años", según los términos del Programa, y serían complementadas con acciones directas en las áreas clave: administración nacional, empresas públicas, gobiernos provinciales y sistema de seguridad social.

En el ámbito de la administración pública, las medidas mostraban diverso grado de especificidad, desde "reorganizar el personal de la administración a través de diferentes escalas salariales, con programas de actualización e instrucción", hasta mejorar la transparencia "explicitando gradualmente los subsidios mediante su inclusión en el proceso presupuestario". No faltaban las consabidas referencias al aumento de la eficiencia en la administración tributaria mediante la implantación de un número único de contribuyente y la computarización.

Con relación a las empresas públicas se hacían estas definiciones: 1) Las políticas sectoriales eran asignadas al Ministerio de Obras y Servicios Públicos y las Secretarías de Estado dependientes de él; 2) El control presupuestario y financiero de las empresas quedaba bajo control del Directorio de Empresas Públicas (DEP); 3) La Tesorería se haría cargo de los servicios de la deuda financiera externa, y a partir de ese momento no realizaría más aportes; 4) El PEN disponía una reducción del 4% en las erogaciones de las empresas públicas, destinada a salvar situaciones deficitarias y emergencias; 5) Se continuaría la desregulación y desmonopolización de las áreas de telecomunicaciones, petróleo, gas, acero, ferrocarriles y transporte aéreo. Se continuaría por último el plan de privatizar el 40% de las acciones de Aerolíneas Argentinas y ENTel.

En cuanto a las relaciones con los gobiernos provinciales, quedaban definidas por la nueva Ley de Coparticipación, según la cual el gobierno nacional no podría hacer transferencias a las provincias por más del 1% de los recursos coparticipables. Simultáneamente se imponían límites a los sobregiros de los Bancos provinciales.

El programa contemplaba también una referencia a la seguridad social. Se consideraba que la nueva ley lanzada en enero de 1988 para financiar el sistema previsional con impuestos específicos le aportaría al mismo un 40% de sus ingresos totales. Simultáneamente se encaraban medidas complementarias como la resolución de las demandas judiciales por incumplimiento de lo dispuesto por el decreto 648/87 (que definía un mecanismo para calcular los haberes jubilatorios de trabajadores en relación de dependencia), la autorización de las jubilaciones privadas a la clarificación de las reglas de distribución de recursos entre el PAMI y el sistema de seguridad social.

En el apartado de política industrial, el programa hacía un diagnóstico tajante: "Los actuales regímenes de promoción provincial y sectorial involucran un enorme costo fiscal (estimado en 3,5% del PBI) y no fomentan la inversión más eficiente". Se subrayaba en consecuencia la importancia del proyecto de Ley de Promoción Industrial aprobado en mayo por la Cámara de Diputados y todavía a consideración del Senado, cuyo objetivo central era unificar el sistema de promoción industrial, eliminando los sistemas especiales provinciales y sectoriales. Este proyecto modificaría sustancialmente el sistema hasta entonces vigente de esta manera:

—Eliminando los regímenes sectoriales especiales, que reemplazaba con un plan de promoción con énfasis en las exportaciones, la productividad y el avance tecnológico.

—Eliminando los diversos regímenes provinciales (excepto el de Tierra del Fuego) que reemplazaba con un régimen de promoción para todas las provincias con énfasis en las ventajas comparativas regionales.

—Eliminando todas las exenciones impositivas, diferimientos tributarios y regulaciones comerciales, en cuyo lugar introducía como único instrumento los bonos de crédito impositivo que podrían aplicarse contra diversas obligaciones fiscales.

—Incluyendo a los mencionados bonos en el presupuesto nacional, sujetos a las respectivas limitaciones impuestas por el mismo.

El repaso de este Programa lanzado a menos de un año de las elecciones generales no puede menos que abrir algunos interrogantes de difícil respuesta. El gobierno, que venía de una derrota electoral en 1987 y con una inflación del 25% el mes anterior, actuaba como si tuviera todo el poder y el prestigio y el tiempo del mundo.

Entre las condiciones iniciales del plan, no había que descartar el efecto de los incrementos de precios internacionales del sector agrícola y las demandas del sector agropecuario; las demandas salariales y de las condiciones de trabajo de las paritarias puestas en marcha. El gobierno necesitaba entonces dos ejes sobre los cuales armar el esquema del poder político que le permitiera avanzar en sus objetivos, por lo menos hasta las elecciones: a) el sector empresario (para lo cual estableció la alianza táctica con las corporaciones); b) el sector financiero externo: mantener el juego con los Bancos acreedores, negociando permanentemente el pago de algunas acreencias, con el objeto de no caer en "default". Esto último perjudicaría severamente la credibilidad del equipo y de la política, piedra angular del plan.

¿Cuál era la evaluación que hacía la administración radical de su propio poder, para impulsar reformas que en algunos casos afectaban fuertes grupos de poder de la economía? ¿Cómo financiaría el lapso que mediaba hasta que las reformas estructurales lanzadas produjesen una efectiva reversión de la situación fiscal? ¿Por qué, si las medidas se insertaban en una concepción global que databa de algunos años atrás, no se habían lanzado antes? ¿Eran en realidad fruto de un aprendizaje sobre la marcha, sumado a la perspectiva de una sociedad cada vez más permeable al mensaje sobre las virtudes del liberalismo económico?

Hay quizás otro modo de plantear todos estos interrogantes; no buscar el motivo detrás de la decisión sino simplemente preguntar: ¿y si no, qué? Vale decir, ¿había otra alternativa, real y concreta, por la cual inclinarse? ¿Se podía hacer otra cosa? ¿O no hacer nada? Es muy posible que a partir de este otro planteamiento el juicio deba ser más benévolo con el gobierno radical y su equipo económico.

III
"EL PLAN PRIMAVERA"

El programa que acabamos de delinear era la expresión de deseos de estabilidad y crecimiento que el gobierno pasaba en limpio y daba a conocer. Era, en buena medida, un gesto retórico, pues nadie creía en serio que hubiera tiempo y espacio político para hacerlo realidad. Eso no quiere decir que no fuera también necesario (a la retórica suele subestimársela en ese sentido), ya que un gobierno sin programa es un gobierno a la deriva, cosa que a nadie le gusta. Pero detrás de las palabras había algo por demás real: las tasas de inflación que crecían mes a mes (y cada mes que pasaba las elecciones estaban un mes más cerca). Contra esta realidad se implementó el "Plan", que de retórico sólo tenía el nombre.

La estrategia del gobierno en el corto plazo parece haber sido intentar contener la inflación sin sacrificar excesivamente el salario y la ocupación. Al respecto, puede adelantarse que la efectiva reducción de la inflación durante el Plan facilitó una recuperación del salario real, pero los indicadores de ocupación mostraron una tendencia levemente negativa durante el mismo período. Tomando como base julio de 1988, hasta el mes de enero de 1989 el promedio general del poder adquisitivo del salario tendría un aumento del 24,5%. Este promedio resultaría de crecimientos muy significativos en los salarios de la industria, de la construcción y de las empresas del Estado, y de un estancamiento en las remuneraciones de la administración pública (atada a las pautas oficiales). En cuanto a la ocupación en el sector industrial para el mismo período, los índices de obreros ocupados y de horas-obrero trabajadas reflejarían caídas de 7,6% y 18,4% respectivamente.

Al mismo tiempo el gobierno intentaría avanzar en las reformas de fondo, no con la expectativa de que produjeran un gran efecto inmediato (salvo las modificaciones impositivas ya instrumentadas) sino más bien para convencer de su buena voluntad a los financistas del Plan (los acreedores externos) y a un electorado ya ansioso de ver medidas tendientes a obtener una mejor calidad en los servicios públicos.

Veamos los tres pétalos que componen esta flor: política de precios, política monetaria, fiscal y cambiaria, y política del sector externo. Si pudimos hacer la exposición del Programa glosando su declaración de principios, a partir de este punto hablaremos más bien de los hechos (que no siempre, o casi nunca, se pliegan a la lógica de las intenciones). Entramos, por lo tanto, en la sucesión azarosa de la Historia.

1. Política de precios

Los actores

El Plan Primavera basó su política de precios en la realización de acuerdos periódicos entre el gobierno y las grandes empresas representadas por la UIA y la CAC. Estos acuerdos pautarían los aumentos.

Aquí hay una novedad importante destinada a marcar lo que vendría en los meses siguientes (y quizá sea una de esas novedades de las que no se retorna): el protagonismo abierto y público de los empresarios agrupados en la UIA y en la CAC. Era la primera vez que gobierno y corporación empresaria se comprometían tan abiertamente ante la sociedad. Por el lado del gobierno, el propio presidente Alfonsín se contó entre los negociadores cada vez que fue necesario; no se escatimó información sobre los asados y cenas que compartía el Primer Mandatario con los capitanes de la industria, en los que seguramente se regateaba algún punto porcentual de incremento en los precios a cambio de una demora en la rebaja arancelaria. Por el sector empresario, las instituciones que habían asumido la representación de los formadores de precios eran la Unión Industrial Argentina (liderada por Eduardo de la Fuente y Gilberto Montagna, presidente de la empresa alimenticia Terrabusi) y la Cámara Argentina de Comercio (encabezada por Carlos de la Vega, funcionario del laboratorio CIBA-GEIGY).

En una cena celebrada el 2 de agosto, el ministro de Economía, Juan Sourrouille, su secretario de Hacienda, Mario Brodersohn, el presidente del BCRA, José Luis Machinea, Eduardo de la Fuente, Montagna y Sebastiani, a la que finalmente se agregó el presidente Alfonsín, ultimaron detalles del Plan y de la inserción en el mismo del empresariado, en su doble rol de apoyo y control. Se llegó en principio a un acuerdo para un período de ciento ochenta días. A las ambiciones o esperanzas del momento no les bastaba con la primavera, y avanzaban sobre todo el verano. Se definió la creación de un Comité de Seguimiento de Precios (compuesto por el secretario de Comercio Interior, Carlos Bonvecchi, y representantes de la UIA y la CAC) y de un Comité de Seguimiento de Políticas Económicas (presidido por el Presidente de la Nación y con participación del ministro de Economía, secretarías del área y representantes de la UIA y la CAC). El Comité de Precios sería el espacio de discusión de las pautas de ajuste de las variables inicialmente controladas. El Comité de Seguimiento de Políticas Económicas supervisaría la marcha general de la economía, con énfasis especial en la vigilancia del gasto público, a cuya reducción condicionaban los empresarios su apoyo al Plan.

Comienza la función

El Plan se puso en marcha el 3 de agosto con un congelamiento general de precios, tarifas, salarios estatales y tipo de cambio. De acuerdo con el efecto fatal de un anuncio de congelamiento (y aunque no haya anuncio el efecto no es menos fatal), en las semanas previas se habían producido fuertes remarcaciones de precios y un aumento promedio en las tarifas del orden del 30%.

Se conformaron tres tipos de cambio: 1) comercial a 12 australes (aplicable a las exportaciones tradicionales y a algunas importaciones); 2) financiero a 14,40 australes (aplicable a las importaciones restantes); 3) mix a 13,20 australes (50% de la cotización del comercial y 50% de la cotización del financiero, aplicable a las exportaciones promocionadas). La cotización del dólar comercial y financiero sería fijada por el BCRA. El segundo mercado financiero sería abastecido mediante ventas que el BCRA haría en licitaciones abiertas tanto a los importadores como a otros potenciales demandantes.

Las críticas no se hicieron esperar. El mismo día 3 de agosto Alfonsín recibió a dirigentes de las cuatro entidades agropecuarias más representativas, que le plantearon su fuerte oposición al esquema cambiario desdoblado. Con todo, los mercados reaccionaron bien los primeros días, y bajaron el dólar y las tasas de interés nominales. El gobierno, de común acuerdo con la UIA y la CAC, fijó topes para los aumentos de precios del 1,5% para la segunda quincena de agosto, y de 3,5 para setiembre.

Sin embargo, en las primeras semanas del Plan el gobierno presionó con intensidad para que las empresas no hicieran uso de estas autorizaciones de aumentos y congelaran sus precios hasta el 30 de setiembre. Hubo algunos funcionarios (como Machinea) que propusieron el congelamiento de precios. Estas gestiones tuvieron significativos progresos ya que el 12 de agosto se anunció un acuerdo con 53 empresas líderes (listado a continuación), que congelaban sus precios hasta esa fecha, y en el cual se invitaba a otras empresas a adoptar la misma decisión.

Alimentos y Bebidas

Aguas Minerales	Arcor
Bagley	La Campagnola
Peñaflor	Aguila Saint Hnos.
Cafés La Virginia	Canale
Cervecerías Quilmes	Cimba
Coca-Cola	Corporación Gral. de Alimentos
Quaker	Terrabusi
Fargo	Fluschman
Frigorífico Rioplatense	Frigorífico Tres Cruces
Industrias Químicas y Mineras Tymbo	Padilla
Martín y Cía.	La Vendimia
Molinos Río de la Plata	Mastellone Hnos.
Panificadora Ituzaingó	Panificación Argentina
Refinerías de Maíz	Stani
Sancor	Nestlé
Sava	San Sebastián
Swift	Gancia
Kasdorf	Unión Gandarense-Gándara
Compañía Argentina de Levaduras	Warner Lambert
Federación de Industriales Panaderos	Cía. Introductora de Buenos Aires

Limpieza, Higiene y tocador

Llauró	Brassovora
Colgate-Palmolive	Gillette
Cía. Química	Guereño
Kolynos	Lever y Asociados
Nuevo Federal	Odol
Progar	Revlon

El gobierno quiso dar una fuerza simbólica particular a la firma de este acuerdo, por lo que se invitó a una reunión con Alfonsín inicialmente a dirigentes de la UIA y la CAC (las instituciones que lideraban el acercamiento empresario al gobierno), y con el correr de los días se invitó también a representantes del sector financiero nacional (ADEBA) de la pequeña y mediana empresa (CGI y CGE) y del sector de la construcción (Cámara Argentina y Unión Argentina de la Construcción). Ese día en Olivos pudo contarse a un centenar y medio de empresarios, entre los cuales no pasaron inadvertidos: Amalia Lacroze de Fortabat (dueña de la empresa Loma Negra, productora de cemento y de explotaciones agropecuarias), Carlos Bulgheroni (líder del grupo BRIDAS, con intereses en el sector petrolero, financiero, pesca, papel, rural, etc.), Murat Eurnekian (del sector textil y vinculado a *El Cronista Comercial*, Cablevisión y Radio América), Enrique Pescarmona (dueño de IMPSA, empresa dedicada a grandes obras metalúrgicas), Livio Kuhl (de Saab-Scania y Celulosa Jujuy), Ovidio Bolo (funcionario de la Cámara de Supermercados, vinculado a Disco), Francisco Macri (líder de SEVEL, Movicom, Manliba y la empresa de construcciones Sideco Americana), Carlos Sebastiani, representante en la UIA de la pequeña y mediana empresa, Victorio Orsi (del grupo SADE, de grandes obras civiles y vinculado a través de éste al grupo Pérez Companc).

Pero también hubo ese día ausencias notables: las entidades del sector agropecuario, que habían adelantado su no concurrencia a la reunión y que "esperaban" a Alfonsín al día siguiente en ocasión de la inauguración de la Exposición Rural.

Los incidentes que se producirían en ocasión de la concurrencia del Presidente de la Nación a la Rural tuvieron gran repercusión política. A pesar de la política que el gobierno había anunciado con respecto a las retenciones, desde el lanzamiento mismo del Plan se había creado un clima de enfrentamiento entre el gobierno y el sector agropecuario que afirmaba que el nuevo esquema cambiario le quitaba recursos por U$S 1.300 millones. Anticipando un clima hostil, ya el 3 de agosto Benito Legerén, dirigente de la CRA, había afirmado que no debían descartarse abucheos al Primer Mandatario en ocasión de la inauguración de la exposición. Ese día, mientras barras previamente organizadas de la UCeDé y adictas al gobierno intercambiaban insultos y golpes de puño en las tribunas, Alfonsín mantenía un tenso duelo verbal con Guillermo Alchourrón, presidente de la SRA. En tono particularmente agresivo este último expresó que el agro no "podía aceptar las transferencias artificiales de ingresos que implicaba el nuevo esquema cambiario". La respuesta del Presidente de la Nación (cuyas palabras tuvieron el telón de fondo de una intensa silbatina) no se hizo esperar: "Estas manifestaciones no se producían con la dictadura, pero este comportamiento no se condice con la democracia. Es una actitud fascista no escuchar al orador. No creo que sean los productores agropecuarios [*los que silban*]; son los que se quedaron muertos de miedo cuando venían a hablar los representantes de la dictadura. Agradezco al presidente de la SRA sus vehemencias, sus quejas, sus críticas. Así es la democracia. Continuamos con el diálogo de siempre que no quieren escuchar los fanáticos".

Terminadas sus palabras, Alfonsín no volvió a hablarle a Alchourrón durante el resto de la ceremonia, y ambos olvidaron, en medio de la tensión, la inauguración formal de la exposición.

La extensa lista de productos alimenticios y de la canasta familiar que permanecerían congelados hasta el 30 de setiembre fue anunciada por el Comité de Precios pocos días después; a la lista la acompañaban los nombres de las respectivas empresas productoras, a las que el gobierno premiaba con esa publicidad.

Como resultado de esta buena disposición general, en la tercera semana de agosto se notó una fuerte desaceleración en los precios. Aun así, el índice inflacionario proyectado para el mes seguía aun por encima del 25%.

Alfonsín, en un gesto destinado a mostrar su compromiso

personal con el Plan, recibió el 24 de agosto a diez empresas líderes que se comprometían a no aumentar más de 3,45% hasta el 30 de setiembre: Molinos, Refinerías de Maíz, Frugone y Preve, Lever, Colgate-Palmolive, Kolynos, Brassovora, Alto Paraná, Massuh y Celulosa Argentina. Una semana más tarde hizo lo propio con empresarios de los sectores del vidrio y el plástico que se comprometían a no aumentar sus precios en setiembre. Concurrieron a este encuentro las empresas VASA, Rigolleau, Cattorini Hnos., Cristalux, PASA, Monsanto y Basf.

Pero el 30 de setiembre era una fecha como cualquier otra, y una característica que comparten las fechas en general es que llegan. El fin de los compromisos se acercaba. A mediados de setiembre el gobierno ya comenzó a trabajar sobre las pautas para el descongelamiento de precios, salarios, tarifas y tipos de cambio que se produciría a partir de octubre. Ya se dejaba entrever cierto grado de conflictos de objetivos, pues mientras el ministro de Obras Públicas Terragno pedía un aumento de tarifas de entre 4 y 6%, el Ministerio de Economía no descartaba la posibilidad de prolongar el congelamiento treinta días más (según la Sindicatura de Empresas Públicas, en los dos primeros meses del Plan las tarifas habían registrado una caída del 3,8% en términos reales).

Los anuncios oficiales de mediados de setiembre determinaban las pautas de aumentos para octubre en tarifas y salarios (4%) y en el tipo de cambio comercial (3%), y simultáneamente solicitaba a las empresas mantener el congelamiento de precios durante dicho mes de octubre. Nuevamente Alfonsín recibió a representantes de la UIA, la CAC y de los principales supermercados. Al término de la reunión, el secretario de Comercio Interior Bonvecchi informaba que la respuesta al pedido del gobierno había sido en general positiva.

El bimestre agosto-setiembre concluyó con un éxito relativo en la batalla antiinflacionaria, dado que el índice de precios al consumidor que en agosto había llegado por efecto del "arrastre" hasta un 27,6% bajó en setiembre a 11,7%, y se presentaba en baja para octubre.

El mercado cambiario también mostró una promisoria tranquilidad, al punto que el BCRA tuvo dificultades para vender divisas en licitaciones y concretar así la ganancia fiscal prevista sobre los abundantes dólares comprados en el mercado oficial. A dos meses de lanzado el Plan, el dólar financiero sólo había aumentado un 3% respecto del valor inicial del dólar financiero del Primavera.

Octubre

A comienzos de octubre el gobierno lanzó una resolución por la cual oficializaba la anterior sugerencia de congelar precios durante el mes, aunque se admitirían excepciones que serían analizadas por el Comité de Precios. En los hechos, se autorizaban aumentos de hasta el 10%. La relativa tolerancia de la UIA ante estas restricciones a los aumentos se explica porque la institución concentraba por esos días sus esfuerzos en atenuar los efectos de la reforma arancelaria que el gobierno estaba preparando y que lanzaría durante la tercera semana de octubre.

Pese a la calma en la superficie se empezaban a hacer oír las primeras críticas y objeciones al Plan, apuntadas especialmente contra el tipo de cambio, como resultado del contraste entre el dólar congelado y una inflación del 41,4% (índice de precios combinados) en el bimestre agosto-setiembre.

En la primera semana de octubre, un artículo del economista y entonces diputado peronista Domingo Cavallo fustigaba al gobierno por el atraso cambiario y anticipaba el riesgo de hiperinflación al comienzo de la siguiente administración, que él daba por sentado que sería justicialista[1]; el presidente de la UIA por su parte expresaba coincidentemente que "de nada vale la reforma arancelaria si no contamos con un dólar adecuado"[2], y la CRA difundió un documento en el que estimaba el atraso cambiario en 18,8%.[3]

Pese a estas malhumoradas advertencias el gobierno logró pactar sobre el tema precios con la UIA y la CAC, acordando los ajustes hasta febrero del 89. El pacto institucionalizaba un sistema de precios administrados a través del respectivo Comité, basado en una detallada metodología de reconocimiento de aumento en los costos. Mensualmente habría una pauta de referencia (la de noviembre era del 4%) que marcaría el incremento de precios, salarios estatales, tarifas y tipo de cambio, y debería servir como "guía" (con las excepciones que se pudieran justificar) para los precios de las 500 industrias líderes. La mencionada pauta de referencia sería en lo sucesivo dos puntos porcentuales menor a la inflación del mes precedente. Pero entidades empresarias no participantes del acuerdo, como la CAME, lo objetaron, sustentadas en una "incipiente recesión, la rebaja arancelaria y el atraso cambiario".

Noviembre

Pese a las dificultades, el mes de noviembre marcó el punto más exitoso del plan contra la inflación. El bimestre octubre-noviembre cerró con índices de precios al consumidor de 9,0% y 5,7% respectivamente. La performance de los precios mayoristas fue aún menor: 4,6% y 3,9% respectivamente. Pero en el plano

---

(1) Extensa propuesta económica de Cavallo a Menem recogida en *Ambito Financiero* del 5/10/88.

(2) Declaración recogida por *Ambito Financiero* el 7/10/88.

(3) Comunicado de C.R.A. recogido por *Ambito Financiero* el 10/10/88.

cambiario y financiero la situación no había sido tan estable. Un dólar oficial ajustado sólo un 7,98% entre agosto y noviembre inclusive, contra una inflación por índices combinados de 58,2% en el mismo período, daba pie a encendidas declaraciones contra el atraso cambiario desde todos los flancos. Y efectivamente, aquí estaría el talón de Aquiles del Plan.

En una reunión realizada el 12 de octubre por el grupo empresario "de los Ocho", los elogios a los logros del Plan fueron cautelosos, aunque Alchourrón, presidente de la Sociedad Rural, no logró que el grupo se expidiera en una declaración unánime contra el atraso cambiario.

Sí se manifestaban al respecto, y con energía, la Cámara de Exportadores de la República Argentina, la Fundación Mediterránea, la UIA, la Unión de la Industria Cárnica, la UADE, analistas económicos y políticos del justicialismo y la UCeDé. Ante este fuerte embate, el presidente del Banco Central, José Luis Machinea, llegó a reconocer un atraso cambiario del 10% en el dólar industrial, pero asegurando que "el dólar es aún alto"; anunciaba en consecuencia un estricto programa monetario para diciembre, y que el BCRA vendería los dólares necesarios para mantener la brecha debajo del 25%.

Este fuerte debate público, unido a la falta de conclusión en las negociaciones externas, tuvo repercusión en el mercado cambiario que se recalentó especialmente a mediados de noviembre y que fue "tranquilizado" con una fuerte suba en las tasas de interés.

En agosto y setiembre el BCRA había vendido en licitaciones U$S 245,2 millones, en octubre U$S 299,5 millones, y en noviembre U$S 292,1 millones. Si bien estos niveles eran inferiores al promedio que el Banco Central estimaba necesario vender para satisfacer las importaciones, este crecimiento de la demanda de divisas dio una señal de alerta al mercado. El dólar paralelo, verdadero termómetro del Plan, cerró en octubre a 15,59 australes, con una brecha del 21,3% sobre el oficial.

La estabilidad en la cotización del dólar se apoyaba fundamentalmente en el adelanto en el ingreso de operaciones de exportación y en el ingreso de capitales golondrina que aprovechaban el marcado diferencial de tasa de interés para obtener una fuerte rentabilidad en dólares.

Comparando las tasas de interés pasivas en el mercado interempresario con la evolución del dólar libre, la ganancia real en esta divisa durante los cuatro meses iniciales del Plan había alcanzado un 18,4%. Si el análisis se extendía al período agosto 88-enero 89, la utilidad en dólares alcanzaría un nada despreciable 28,2%.

Diciembre, enero

El mes de diciembre fue relativamente calmo en la fijación de pautas de tipo de cambio (aumentó 4%) y tarifas (aumentaron en el orden de la pauta, excepto las de empresas del sector energético que tuvieron un incremento dos puntos porcentuales mayor). Los precios continuaron con el régimen administrado, por el cual cualquier aumento superior a la pauta era verificado y requería justificación en términos de costos. En el último mes del año los aumentos de salarios en algunas dependencias del sector público, especialmente en las empresas estatales, sobrepasaron la pauta de referencia luego de importantes huelgas ocurridas a principios de noviembre. La señal apuntaba al déficit fiscal, y era inquietante.

Preocupado por el ya alarmante atraso tarifario, a comienzos de enero el gobierno anunció que llevaba la pauta de ajuste de tarifas al 6% y aumentó en particular la tarifa del transporte automotor en Capital y Gran Buenos Aires un 8,6%. Esto implicaba una violación unilateral del acuerdo de precios celebrado en octubre, por el cual la pauta debía ser dos puntos inferior a la inflación combinada del mes anterior.

La decisión levantó muchas quejas e hizo necesaria una reunión de Alfonsín con la cúpula de la UIA el 11 de enero, con el objeto de reconstituir la afectada relación entre las partes. En esta reunión, el gobierno propuso a los empresarios un acuerdo hasta las elecciones que, además de fijar las pautas para precios, tarifas, salarios y tipo de cambio, incluyera un adelanto de la unificación cambiaria.

El acuerdo se firmó el 12 de enero, y fue anunciado por el Comité de Seguimiento de Políticas Económicas como un "intento de preservar la estabilidad". Se determinaba un ajuste del tipo de cambio del 4,2% para enero y del 5,2% para las tarifas (valores que resultaban de restar 2 y 1 puntos respectivamente a la inflación del mes anterior), sistema que se mantendría hasta mayo. Los precios continuaban administrados, y si los ajustes eran medio punto menor que el de tarifas no requerían autorización. Asimismo el gobierno asumía varios compromisos: adelantar a marzo el comienzo de la reunificación cambiaria y hacerla a un plazo más rápido del previsto originalmente, revisar la reforma arancelaria realizada en octubre, reimpulsar el programa de reducción de organismos públicos y de retiro especial, regularizar el pago de los beneficios por los Programas Especiales de Exportación y otorgar créditos a la pequeña y mediana empresa por trescientos millones de australes, con la cartera del Banade.

La inflación minorista resultante del esfuerzo antiinflacionario de toda la economía fue del 6,8% en diciembre y de 8,9% en enero. Factores estacionales y cierta recuperación salarial habían incidido para que diciembre del 88 marcara una reversión de la tendencia descendente de los precios.

El final

En el período de 67 días que medió entre el 1 de diciembre y el 5 de febrero el apoyo al gobierno en general y la confianza en el plan en particular sufrieron un deterioro sustancial, al que contribuyeron circunstancias políticas y económicas variadas. En primer término se hizo evidente que las negociaciones externas no avanzaban pese a persistentes esfuerzos de los negociadores argentinos. Las finanzas públicas, más por el efecto del atraso tarifario y la caída espectacular de la recaudación que por incremento en el gasto (éste realmente no creció durante el plan), no presentaban el equilibrio necesario para mantener la inflación en un dígito. El endeudamiento compulsivo del gobierno seguía aumentando las tasas de interés, lo que tenía el efecto doblemente negativo de aumentar el déficit cuasi-fiscal y debilitar el apoyo de los últimos aliados del gobierno: la UIA y la CAC. Este aumento de las tasas en términos reales sirvió para controlar la demanda de dólares en diciembre, pero no fue suficiente en enero y comienzos de febrero. Las ventas por licitaciones del BCRA treparon de U$S 12,1 millones en diciembre a U$S 668,1 millones en enero y a U$S 242,3 millones en apenas los tres primeros días de febrero. El 3 de febrero, último día hábil del Plan Primavera, el dólar comercial cerraba a 14,06 australes y el paralelo a 17,67 australes y comenzaba una nueva etapa. A la luz de lo que sucedió después, el dato clave para entender la inestabilidad subsiguiente es que durante el período agosto 88-enero 89 la inflación (índice combinado) fue del 81,5%, mientras la variación del tipo de cambio comercial era del 17,17%. Esta diferencia sería fundamental. El llamado "sector externo" se negó a digerirla, y se mostraría un adversario formidable.

2. *Política monetaria, fiscal y cambiaria*

Objetivos, esperanzas y compromisos

Todo el peso del Plan Primavera lo llevaba la política monetaria. El objetivo: controlar la oferta monetaria. Entre otras cosas, se cortaron redescuentos a los Bancos oficiales (tanto a los de provincias como al Hipotecario) y a los indisponibles del sistema se los refinanció a diez años (Bono VICENS).

El objetivo central de la política monetaria fue apuntalar la estrategia antiinflacionaria: en forma directa a través del control de la oferta de dinero, y en forma indirecta a través del sostén del esquema cambiario. Sobre la estrategia fiscal convergían simultáneamente el proceso de reordenamiento que había iniciado el gobierno un año atrás (ley de coparticipación, financiamiento de la seguridad social, independencia financiera de las empresas públicas, limitación de la promoción, etc.) y la necesidad en el corto plazo de no perturbar la política monetaria. Los instrumentos de que disponía esta última para intervenir en los mercados eran los encajes, los indisponibles y la colocación voluntaria de títulos y la fijación de la tasa oficial de interés.

Los objetivos antiinflacionarios y los fiscales se combinaban en un esquema arriesgado. Al comprar las divisas a los exportadores tradicionales al tipo de cambio comercial y venderlas a los importadores a un tipo de cambio (el financiero) en promedio un 20% más caro, se reimplantaban de hecho las retenciones, para contribuir a paliar el déficit fiscal. Este sistema, complementado con el tipo de cambio comercial inmovilizado (y luego atrasado) en su cotización, con la promesa oficial de mantener la brecha por debajo del 25% y con tasas de interés nominales claramente mayores a la pauta devaluatoria, alentaría el ingreso de capitales especulativos.

El Plan Primavera comienza a funcionar en la primera etapa de un programa de reestructuración de las finanzas públicas que se pretendía profundo y estructural. En los hechos sólo se había implementado una reducida proporción de las medidas del Programa de Recuperación Económica, y el efecto buscado de anular el déficit fiscal no se logró. Cuando en determinado momento emergió alguna incompatibilidad entre el plan de corto plazo y el Programa de Reforma, el segundo fue sacrificado en beneficio del esfuerzo antiinflacionario.

Desde comienzos del 88 se buscaba aumentar la recaudación tributaria, y las medidas efectivamente implementadas desde el lanzamiento del Plan eran el aumento de la alícuota del impuesto a los débitos bancarios, la reimposición del ahorro obligatorio, los tributos sobre servicios públicos para recomponer los ingresos de la seguridad social y otros gravámenes específicos para atender situaciones de emergencia.

La austeridad apuntaba sus cañones hacia el interior y hacia las empresas públicas. En su relación con las provincias, el gobierno nacional se proponía cumplir taxativamente con lo dispuesto por la ley sancionada en enero del 88 que como vimos explicitaba la relación entre ingresos provinciales y nacionales. En cuanto a las empresas públicas, el Programa de Recuperación Económica comprometía a la Tesorería a no transferirles fondos (aunque responsabilizándose de sus cargas financieras); se anunció explícitamente que el Plan Primavera respetaría este compromiso. El gobierno insistía en la teórica autonomía del MOSP para fijar su política de precios y salarios y para realizar compensaciones financieras entre las empresas para evitar recurrir al Tesoro. Se esperaba además para el segundo semestre un fuerte avance en la privatización de Aerolíneas Argentinas y Entel.

Agosto, setiembre

En la conferencia de prensa en que el equipo económico explicó el lanzamiento del Plan Primavera, Sommer informó que la estimación del desequilibrio en el mercado financiero del dólar era de alrededor de U$S 4.000 millones anuales, que serían financiados por el sector agropecuario. El BCRA se encargaría de abastecer el mercado mediante la venta periódica de divisas en licitaciones (que por cierto no quedaban restringidas exclusivamente a las necesidades de los importadores).

El esquema de tipo de cambio desdoblado, sumado al aumento de tarifas con congelamiento de precios, hizo que el Plan fuera recibido por variados analistas financieros como una "brutal" transferencia de fondos al Estado. Las críticas no impidieron que durante el primer mes el esquema funcionara de acuerdo a las expectativas del gobierno. La tasa de interés nominal descendió hasta cerrar el mes de agosto en términos reales muy negativos, y la desmonetización, que había llegado a un pico en julio, comenzaba a revertirse.

La creación de dos bonos que consolidaban y reprogramaban los vencimientos de deudas del BCRA con entidades financieras llevó una tranquilidad al mercado financiero que a fines de agosto justificaba una satisfecha declaración del ministro Sourrouille: "La política monetaria es lo más exitoso del plan". El 6 de setiembre el BCRA apostó a consolidar expectativas favorables difundiendo proyecciones optimistas de base monetaria y déficit cuasi-fiscal para el último trimestre basadas en una inflación supuesta del 3% mensual, y en un balance satisfactorio de la Tesorería.

Es tal vez en este contexto optimista que el gobierno programó para el 14 de mayo del año siguiente las elecciones generales.

Sin embargo la recaudación fiscal seguía siendo, como durante casi todo este período, un hueso difícil de roer. El cobro de impuestos en agosto del 88 cayó significativamente respecto de agosto del 87, en parte a causa de la caída de la actividad. En los primeros ocho meses del año la recaudación cayó un 5,7% respecto del mismo período del año anterior, pese a la inclusión de nuevos gravámenes destinados a la seguridad social y las emergencias provinciales.

El esquema cambiario también contribuyó a complicar la política monetaria, pues la venta de divisas (que implica expansión) debió ajustarse mes a mes según la respuesta de los compradores. En agosto y setiembre se vendieron en total U$S 245,2 millones contra los U$S 700 millones estimados inicialmente. Por otro lado, la demanda de crédito, otra forma de disminuir la carga por el déficit cuasifiscal, no aumentaba.

En setiembre, las tasas de interés activas ya tenían un nivel positivo promedio del 5,8%, pero se suponía que esta alza era deliberada, y el equipo económico insistió en un duro programa monetario para el mes siguiente. El plan parecía gozar de buena salud al cabo de su primer bimestre, ya que si bien el déficit fiscal operativo había crecido, las tasas de interés eran las buscadas, el dólar se mantenía estable y llegaban anuncios favorables sobre la negociación externa.

Octubre

A esa altura, lo que más preocupaba desde la lógica de la comunidad financiera local era la evolución del déficit fiscal durante el último trimestre del año. Al respecto, octubre marcó un fuerte pico de tensión entre el gobierno y las provincias gobernadas por el justicialismo (que reclamaban fondos por encima de lo dispuesto por la ley de coparticipación) y entre el equipo económico y las autoridades del Ministerio de Obras Públicas. Es que al fijarse en 4% la pauta tarifaria de octubre luego de dos meses de congelamiento, era evidente que el MOSP perdía toda autonomía y las tarifas se ponían al servicio del esquema antiinflacionario.

El debate sobre la transferencia de fondos a las provincias tomó un matiz político cuando el economista del justicialismo Domingo Cavallo acusó al gobierno de utilizar el tema de la coparticipación para desprestigiar las administraciones provinciales peronistas. El gobierno contestó difundiendo metas monetarias y fiscales que implicaban la no transferencia de fondos extra a empresas y provincias.

Octubre cerró con tasas de interés reales positivas del 7,4%, con una clara disminución de la actividad económica y con un nuevo aumento del déficit fiscal operativo respecto del mes anterior (explicado por caída de los ingresos, ya que el nivel de gastos era relativamente estable). La cotización cambiaria se mantuvo sin mayores alzas, pero en octubre las ventas-licitaciones treparon a U$S 299,5 millones y el mercado comenzó a mostrar una gran sensibilidad a cualquier baja de la tasa de interés. Esta sensibilidad, por no decir desconfianza, expresaba la opinión del mercado financiero de la fragilidad del sistema.

Se generalizaba el temor de que la relación entre la reserva y el total de activos nominales en australes (el M_4(1) alcanzaba el equivalente de U$S 13.000 millones) era una verdadera bomba de tiempo; muchas voces recomendaron que se vendieran dólares sólo a los importadores, dejando flotar el mercado financiero para preservar así las reservas e inducir la baja en las tasas de interés.

Noviembre

El anteúltimo mes del año dio una señal positiva (superávit del Tesoro) pero acompañada por varios síntomas preocupantes. La recuperación fiscal se explica básicamente por una caída del gasto al nivel más bajo del año, causada no por reducciones genuinas

(1) Los términos monetarios M_1 M_2 M_3 M_4 y M_5 significan, respectivamente: M_1 el circulante en poder del público más los depósitos en cuenta corriente. El M_2 es el M_1 más los depósitos en cajas de ahorro. El M_3 es el M_2 más las aceptaciones. El M_4 es el M_3 más los depósitos a plazo fijo. Y el M_5 es el M_4 más los depósitos indexados.

sino más bien por diferimientos de pagos previsionales a proveedores y de mantenimiento. Simultáneamente, los ingresos se recuperaron respecto del mes anterior, pero se mantuvieron en niveles muy inferiores al promedio del año.

Entre los síntomas negativos hubo una ola de huelgas (o amenaza de huelgas) en el sector público, que desembocaron en aumentos salariales muy superiores a la pauta. En la pulseada dólar-tasas de interés, una baja abrupta de éstas a principios de noviembre produjo una fuerte demanda de divisas que totalizó U$S 295,1 millones en el mes y que dejó una marca: las tasas de interés ya no bajarían en el resto del Plan. El mes cerró con tasas de interés reales de 8,5%, que terminaron de irritar a los empresarios asociados al Plan, ya molestos por la innegable recesión, el atraso cambiario, la reforma arancelaria y el ahorro obligatorio. La confianza empezaba a resquebrajarse. Enrique Szewach dio voz a la desilusión de la gran empresa con comentarios sombríos sobre la situación fiscal y la incertidumbre preelectoral, y enunció la preocupación ambiente por el desequilibrio entre el dólar y el stock de australes. "El saneamiento del Estado requiere medidas estructurales que no se pueden aplicar en períodos preelectorales"(1). Pero el Plan seguía su marcha. El mismo día de la publicación del artículo de Szewach (24 de noviembre) Machinea declaraba que "el BCRA venderá los dólares que sean necesarios para mantener la brecha debajo del 25%"(2).

Diciembre

La difusión de versiones sobre el posible ingreso durante el Plan de más de U$S 1.100 millones de dólares en capitales

---

(1) Trabajo de FIEL recogido por *Ambito Financiero* del 24/11/88.
(2) Declaraciones de Machinea recogidas por *Ambito Financiero* el 24/11/88.

golondrina que tarde o temprano intentarían salir llevándose los intereses ganados, más un supuesto descontrol (que no llegó a ser tal) en las empresas públicas por el atraso tarifario y los aumentos salariales, los episodios político-militares de Villa Martelli y las fuertes críticas de la UIA al Plan, ocuparon los titulares en los primeros días del mes de diciembre y obligaron a Machinea a asegurar que habría "una inflexible política monetaria". La resistencia del público a aceptar los títulos públicos tradicionales hizo necesario el lanzamiento de las letras dolarizadas en el mes de febrero, tal vez la avanzada del desborde del déficit cuasifiscal que se avecinaba a principios de 1989. El 14 de diciembre Walter Graziano, comentarista del diario *Ambito Financiero*, afirmaba que "hoy no se podría parar una corrida cambiaria en serio". Esa misma semana, y luego de maratónicas sesiones en el Congreso, el gobierno logró una reducción en el monto de la promoción industrial y se decidió un auxilio financiero a las provincias. La temperatura financiera hacia la última semana del año puede resumirse en las declaraciones publicadas entonces del director de un Banco mayorista: "Todavía hay cierta entrada de capitales de cortísimo plazo que financian la salida de capitales de largo plazo que están practicando los sectores más conservadores en previsión de un derrumbe de la estrategia cambiaria. El problema es que esta operatoria se sustenta en que haya vendedores de futuro que le brinden cobertura a quienes están vendiendo contado. Si desaparecen los vendedores de futuro —y es de temer que así ocurra a medida que se aproximen las elecciones— se esfumarían los vendedores de contado. Yo temo que el problema se presente a fines de febrero porque no creo que haya muchos dispuestos a vender divisas sobre fines de marzo. En ese momento el precio subirá y habrá que ver cuánto vende el BCRA y cuánto se tranquiliza el mercado. Tal vez en ese momento haya que establecer un tercer mercado cambiario y sólo abastecer de divisas a los importadores genuinos".

Enero

Diciembre cerró con tasas reales de 8,8%, con ventas de divisas en licitaciones por U$S 12,1 millones, y con un nuevo déficit operativo pese al ahorro obligatorio. En este mes hubo un fuerte aumento de los gastos muy vinculados al pago de aguinaldos en el sector público. (Fue el único mes del Plan con un sustancial descontrol en los gastos del Estado.) El 29 de diciembre y el 3 de enero Machinea volvió a ratificar la política cambiaria y pronosticó (ya se le había hecho un hábito) un enero de dureza monetaria. Pero se estaba en un tembladeral. En la primera semana de enero los operadores financieros no ocultaban sus temores por la precariedad del esquema cambiario. Preguntas como "¿Qué pasará cuando desaparezcan los vendedores de futuro?" o "¿Qué hará el BCRA ante una fuerte pérdida de reservas?" actuaban como verdaderas profecías autocumplidas. El diario *Ambito Financiero*, oráculo cotidiano para todo especulador en divisas, afirmaba en su edición del 5 de enero: "Los operadores advierten con nerviosismo que el mercado está demasiado bicicleteado y que en algún momento toda la estantería se puede venir abajo. Cuando desaparezcan los vendedores de futuro habrá un faltante de divisas que en realidad no estaban en el sector privado. Esas divisas que financiaron durante el Plan Primavera más de la mitad de las importaciones y pagos de servicios durante cinco meses, se han acumulado en el BCRA, que se las ahorró. Si hubiera certidumbre de que el BCRA está dispuesto a vender U$S 1.000 millones o 1.500 millones en enero y febrero, los operadores no tendrían que temer y posiblemente comprarían pocos dólares. Pero muchos temen que ante la avalancha de compras el BCRA se haga a un lado."

El economista peronista Guido di Tella, desde una óptica más bien política, decía el 8 de enero: "La política que están siguiendo es una especie de tablita que tiene éxito en el corto plazo y que luego tiene un *"azo"* de algo. Ellos piensan: vamos a distorsionar un poco la economía, no demasiado, vamos a tratar de bajar algo el déficit, y bueno, si después ganamos las elecciones, que Dios nos ayude".

El 9 de enero el dólar marginal subió a 16,68 australes, es decir un 0,91%. Ese día al BCRA le elevaron 188 propuestas para comprar dólares en licitaciones por U$S 31,8 millones. Al día siguiente el BCRA ofreció un monto muy superior al habitual y el mercado se tranquilizó. El mismo ciclo se repitió el 11 y 12 de enero: fuerte demanda en las licitaciones sofocada con fuerte oferta al día siguiente, pero con un nivel de operaciones muy inferior a los montos ofrecidos. Durante la primera quincena del mes se vendieron U$S 200 millones, pero la demanda había sido mucho mayor. La tasa de las Letras de Tesorería subió de 10,25% a 12,5% con una inflación que se proyectaba a 8%.

El día 16, Cavallo evaluaba la situación en estos términos: "El financiamiento del Plan Primavera costará U$S 5.000 millones de agosto del 88 a marzo del 89. Para llegar a diciembre del 89 se necesitarán otros U$S 5.000 millones que no se conseguirán". Entre el 18 y el 25 de enero el deterioro general de la situación sociopolítica se expresaba en dos hechos que ocupaban la atención excluyente de la opinión pública: el apogeo de la crisis energética inciada a mediados de diciembre, y el ataque de un grupo subversivo al Regimiento de La Tablada, en las afueras de la ciudad de Buenos Aires.

La concurrencia de un factor climático como la sequía, el pésimo nivel de mantenimiento de la maquinaria de SEGBA por las restricciones presupuestarias (a las que no eran ajenas los retrasos tarifarios del Plan Primavera), un desperfecto en la planta nuclear de Atucha y el atraso general en los planes de inversión en energía, habían hecho entrar en crisis el sistema de generación eléctrica del país. Cortes de energía de hasta seis horas diarias eran sólo una expresión de las múltiples molestias que la crisis producía en la vida cotidiana de la población: acondicionadores de aire que no funcionaban con temperaturas de hasta 35° y en edificios absolutamente cerrados, ascensores bloqueados, serias perturbaciones para enfermos y ancianos, descomposición de alimentos en heladeras, fábricas que debían modificar o reducir sus horarios, conmutadores telefónicos que se desconectaban, suspensión de espectáculos nocturnos, reducción de iluminación en avenidas y vidrieras, intenso ruido de generadores autónomos de electricidad en las calles, reducción de los horarios en emisiones de TV, cambios imprevistos en las programaciones de horarios de múltiples actividades, etc. Aunque el gobierno no era responsable absoluto de la crisis, probablemente debió asumir la totalidad de sus costos políticos dado su aislamiento y la proximidad del acto electoral.

Por si las desventuras del partido gobernante no eran suficientes a esa altura, a las seis de la mañana del 23 de enero un grupo de aproximadamente cincuenta civiles armados iniciaba un ataque encarnizado a una de las unidades militares más poderosas del país:el Regimiento de la Tablada, situado en las inmediaciones de Campo de Mayo. La vocación suicida de los atacantes, o la decisión de los militares (que reprimieron el ataque) de aniquilarlos, hizo que la lucha tuviera una duración de más de treinta horas que mantuvo en vilo al país y atrajo la atención de no pocas capitales de América y Europa. Podían observarse por televisión escenas de particular violencia, con claras reminiscencias del foquismo de los años 70, que se creía sepultado. Decenas de civiles y militares muertos era sólo el saldo tangible de una operación que también acarrearía fuertes costos al partido oficial.

Los atacantes eran un desprendimiento vanguardista de izquierda del Movimiento Todos por la Patria, que en el pasado había coincidido con otras entidades y con la UCR en pronunciamientos a favor de los derechos humanos y del juzgamiento y condena de militares involucrados en la represión de los años 76 - 83. Pero circunstancias recientes complicaban aún más la posición del gobierno: pocos días antes del ataque, Jorge Baños, dirigente del MTP muerto durante los combates, había acusado a través de medios de difusión oficiales a Carlos Menem de estar involucrado en una conjura golpista con el general Mohamed Seineldín, la que nunca pudo ser probada. En esa oportunidad, los dirigentes oficialistas no atinaron a desmentir las afirmaciones de Baños que coincidían circunstancialmente con sus intereses, y por lo tanto días después debieron soportar todo tipo de acusaciones sobre su vinculación con el ataque de la Tablada, que no pudieron ser probadas pero que dejarían nuevas marcas en el cuerpo de los gobernantes.

La ocurrencia de un hecho de tanta violencia y asimismo tan imprevisto aun para los más refinados analistas políticos (la sensación predominante en los primeros momentos del ataque era de incredulidad y perplejidad) creó un clima de incertidumbre e inseguridad que no debería ser obviado al analizar las causas de la corrida cambiaria que en esas mismas horas comenzaba a sepultar al Plan Primavera.

En el plano estrictamente económico, se difundían las cifras del déficit fiscal de diciembre, mayor a lo esperado por las autoridades y analistas económicos, y el BCRA absorbía 3.645 millones de australes en sólo cuatro días mediante Letras de Tesorería para reforzar el impulso ascendente de las tasas de interés.

La lógica de los analistas financieros a esa altura se hizo absolutamente monolítica. Lachman (*Ambito Financiero*) decía el 23 de enero: "La estrategia está supeditada a la viabilidad de la reforma fiscal. Si la perspectiva política apunta a que ésta no va a ser materializada, el esquema también se torna insostenible... El tercer mercado será la salida si hay crisis de confianza". Otro analista, Stocker, lo complementaba dos días después con cifras: "Los depósitos a interés, renovados a siete días en su mayor parte, suman el equivalente a U$S 7.000 / 7.500 millones y las reservas, en nivel récord, U$S 3.000 / 3.500 millones. Una eclosión del sistema o modelo haría subir espectacularmente la tasa de interés y saltar los tapones de seguridad del sistema. Además, el actual stock de reservas es en cierto sentido artificial, un espejismo (anticipo de ingresos de exportación, diferimiento de importaciones, capitales golondrina, etc.) no apto para soportar una corrida cambiaria mayor."

Hasta ese 25 de enero se habían vendido U$S 330 millones, que era lo previsto por el BCRA para todo el mes, y el 26 y 27 se agregaron otros U$S 77,2 millones. La carrera ya era incontenible. El BCRA comenzó la última semana del Plan ofreciendo U$S 100 millones el día lunes 30. Pero la demanda fue de U$S 268 millones y se concretaron operaciones por U$S 92,7 millones. El martes el BCRA vendió otros U$S 160 millones. Como era el último día del mes, se pudo hacer la suma: en enero había vendido nada menos que U$S 659,9 millones. Los primeros tres días de febrero vendió U$S 242 millones, lo que terminó de desmoronar el Plan cuando ya se había hecho evidente que el freno monetario era absolutamente insuficiente. Ante una demanda que parecía incontenible, la oferta había desaparecido. El mes de enero cerraba con tasas de interés reales del orden del 8% y con una disminución del déficit fiscal luego del desborde de diciembre.

Por qué

El desmoronamiento del esquema cambiario significó el final del Plan. Con el fracaso en obtener una recuperación de los ingresos fiscales y con el retroceso de las negociaciones externas (en parte a causa de lo anterior), la política monetaria era rehén de las convulsiones del mercado y no tenía margen para sostener el esquema.

Aunque no es fácil precisar la importancia relativa de las causas que hicieron fracasar la política fiscal de corto plazo, se pueden señalar algunos elementos significativos. Contrariamente a lo que se cree, el año 1988 cerró con menor déficit fiscal que el anterior, porque la disminución de los gastos superó a la caída de los ingresos. (Sin embargo, el nivel absoluto de ese déficit, sobre todo en ausencia de financiamiento externo, siguió siendo incompatible con un plan de estabilización.) Asimismo, y pese a lo que todo el mundo creía en ese momento, durante los seis meses del Plan el déficit operativo fue sólo levemente mayor al de los seis meses anteriores y muy inferior al del mismo período del año anterior. El volumen del déficit total (es decir, agregando al déficit operativo los intereses y avales) durante el Plan fue inferior al registrado en cualquiera de las dos comparaciones alternativas. Pero este comportamiento aceptable en los números era fruto de un fuerte diferimiento de los gastos ante la brutal caída de los ingresos, que previsiblemente no mereció la misma difusión informativa que la que recibiera regularmente la evolución del déficit mismo. A moneda constante, los ingresos totales de la Tesorería cayeron durante el Plan un 27,4% respecto de los seis meses anteriores. En el total del año 1988, los recursos totales del sector público cayeron un 3,39% del PBI respecto de 1987.

La recaudación tributaria descendió notoriamente en 1988: más del 3% del PBI. En más del 70% es responsable de esta caída la disminución de la reaudación del IVA, del Impuesto a los Combustibles y de los derechos de importación. Se conjugaron varios hechos para la caída de estos tributos: el descenso de la actividad, el atraso tarifario, el incremento de los subsidios canalizados a través del IVA a las exportaciones tradicionales(1), el

(1) *Ambito Financiero*, junio '89, Número Especial "Reseña 1988", pág. 13.

empeoramiento en la conducta tributaria por la pobre fiscalización y el trasvasamiento de impuestos (combustibles para seguridad social e internos para el Fondo de Emergencia Provincial). Esta caída sólo pudo ser parcialmente compensada por las modificaciones en impuestos de percepción relativamente fácil, como el ahorro forzoso y el débito bancario. El total recaudado no aumentó, y los esfuerzos para defender la ley de coparticipación o para crear nuevos impuestos para la seguridad social no frenaron el deterioro fiscal.

La disminución de los gastos que se produjo en este contexto fue el último recurso para paliar el efecto negativo del déficit sobre el plan de estabilización. Pero el Plan Primavera no contemplaba medidas de fondo para la reducción de gastos públicos. Como ya vimos, los ahorros resultaron en realidad del mayor endeudamiento con el sistema previsional, con los proveedores, y de menores gastos de mantenimiento. Dadas estas condiciones las empresas públicas volvieron a tener dificultades (especialmente Ferrocarriles e YPF), a las que no serían ajenos ciertos desbordes salariales; de modo que tuvieron que recurrir nuevamente al Tesoro, ya en las postrimerías del Plan.

La precariedad fiscal limitó mucho el margen de maniobras de la política monetaria. En primer lugar, la aceptación de deuda por parte del público fue cada vez menor, a tal punto que a fines del 88 la deuda voluntaria interna era menor a la de fines del 87. Sólo títulos muy onerosos, como los ajustables por tipo de cambio, tenían aceptación, debido a la obvia expectativa devaluatoria. A consecuencia de esta resistencia a financiar al Estado, creció gradual y significativamente la deuda compulsiva: hacia fines del 88 los encajes y los depósitos indisponibles inmovilizaban el 80% de los depósitos a plazo fijo. Este nivel de inmovilización perjudicaba seriamente la rentabilidad y funcionamiento del sistema financiero y obligó a una permanente suba de tasas que impidiera la pérdida de depósitos en su huida hacia el dólar.

Algunos cambios en la dirección correcta se diluyeron en medio de tanta convulsión. Los redescuentos fueron efectivamente mucho menores con respecto a 1987, se suspendió la operatoria *On Lending*, se aumentó el costo de la prefinanciación y, a principios del período, se crearon dos bonos que reorganizaban y reprogramaban los vencimientos de los indisponibles hasta ese momento. La monetización aumentó de agosto a diciembre, pero mucho menos de lo que había caído en la primera mitad del año y de lo que hubiese sido necesario para financiar al déficit. En consecuencia la tasa de interés creció sostenidamente y con ella la deuda interna, el déficit cuasifiscal y los agregados monetarios más amplios, que gradualmente representarían montos mucho mayores que las reservas. Hacia fines de año, era menos importante el monto de la deuda que su costo y sus plazos de vencimiento.

El esquema monetario fue inseparable del cambiario, y ambos fueron juntos al abismo. Salvo en agosto, la política monetaria requirió tasas positivas para sostenerse y, previsiblemente, cuanto mayor fue el atraso cambiario, mayor tuvo que ser el premio por permanecer en australes, y más volátil se hizo el sistema financiero.

El reducido nivel de ventas de divisas entre agosto y diciembre respecto del promedio previsto inicialmente impidió realizar las ganancias fiscales que hubiesen contribuido a paliar el déficit. No es descartable suponer que el gobierno haya intentado acumular reservas a partir de diciembre, en lugar de seguir vendiendo, tal vez con la expectativa de empezar a vender en febrero o marzo haciendo caer la tasa y llegando con control de la inflación a las elecciones. Pero obviamente perdió la pulseada en la segunda quincena de enero.

De tanto temer la interrupción del ingreso de capitales de corto plazo, ésta finalmente se produjo. La expectativa de quiebra del esquema cambiario hizo desaparecer la oferta de capitales financieros, y produjo el previsible agolpamiento de demandantes que ya habían concretado su renta diferencial colocándose en australes y que ahora querían volver a colocarse en divisas para preservarse de eventuales devaluaciones.

Pero no sólo desapareció la oferta de capitales especulativos, también desapareció la oferta de divisas comerciales. Argentina había cerrado el año 1988 con un nivel de exportaciones estimado en U$S 9.133 millones (1). Sin embargo, en esas semanas nadie ofrecía dólares. Si bien los cerealeros podían argumentar largamente sobre el preingreso en divisas, es interesante hacer notar que las exportaciones de Manufacturas de Origen Industrial (MOI) totalizaron en el mismo año U$S 2.763 millones (2), y las de Origen Agropecuario (MOA) U$S 3.944 millones (3). Es probable que haya pesado fuertemente sobre esta incipiente retención de divisas una tradición no escrita según la cual las grandes devaluaciones se producen en Argentina entre los meses de marzo y abril, cuando comienza la liquidación de las exportaciones cerealeras.

3. Política del sector externo

Dos datos dominaban la escena externa en agosto del 88: un nivel de paridad cambiaria relativamente alto y una suspensión de hecho desde abril en el pago de intereses a los Bancos comerciales del exterior. Este segundo punto tenía una lectura positiva (una supuesta acumulación de reservas importante por parte del BCRA), y una negativa (las posibles dificultades que provocaría en la negociación de nuevo financiamiento con el exterior). Precisamente, las piezas clave de la política de corto plazo del sector externo eran el esquema cambiario y las negociaciones para

(1) (2) (3) **Fuente:** Ex Dirección Nacional de Investigaciones Sectoriales. Secretaría de Industria y Comercio Exterior, memorándum del 22/5/89.

renovar el financiamiento externo. Ya vimos que la estrategia de mediano plazo del programa oficial incluía una reducción del déficit fiscal hasta un límite compatible con su financiamiento externo.

Quedó señalada antes la necesidad de continuar negociando permanentemente con la banca acreedora. Entonces, la negociación externa tenía cuatro interlocutores principales: el Banco Mundial, el FMI, los Bancos acreedores y el Tesoro de los EE.UU. El objetivo del gobierno era restablecer la armonía con los acreedores externos obteniendo financiamiento por un monto estimado en 50% de los intereses de la deuda, obtenido el cual se despejaba la incertidumbre del sector externo y, dadas las proyecciones del superávit comercial, la economía quedaría sin graves limitaciones a la vista, de no haber un recalentamiento de la actividad. El gobierno ofrecía a cambio el programa de reformas estructurales de mediano plazo que implicaba, de concretarse, un paso importante en dirección a la desregulación de la economía y su integración al mundo. Las metas concretas de la negociación eran las siguientes: en lo inmediato, un crédito puente de U$S 500 millones del Tesoro de EE.UU., un préstamo del Banco Mundial por U$S 1.250 millones para la reforma del comercio exterior, la desregulación industrial y la reforma bancaria, un préstamo stand-by del FMI por U$S 1.200/1.500 millones hasta fines de año y el aporte de U$S 3.500 millones por parte de los Bancos acreedores en dos años.

En este contexto el gobierno lanza el esquema cambiario del Plan Primavera. Junto a él se anuncia una unificación progresiva de la divisa, que concluiría en octubre de 1989. El desequilibrio del mercado financiero, estimado en U$S 5.000 millones anuales, sería financiado por el sector agropecuario; los intereses de la deuda externa serían financiados por el FMI, el Banco Mundial y otros acreedores externos, "con quienes ya estamos negociando" (Sommer, agosto del 88). El gobierno, que se había comprometido a no restablecer las retenciones, establecía el sistema de tipo de cambio desdoblado. Pese a un nivel de precios internacionales de los granos bastante alto, el sector agropecuario rechazó desde el comienzo el nuevo sistema.

Al presentar las cosas con esta claridad, el gobierno estaba emitiendo un mensaje muy claro: el esquema cambiario, y en general todo el programa, dependía del éxito de la negociación externa. Si ésta fracasaba, sería imposible sostener la estabilidad.

Agosto, setiembre

Al lanzar el nuevo plan económico el 3 de agosto el gobierno anunció que se esperaba un pronto desembolso de U$S 200 millones del Banco Mundial, y otro préstamo de U$S 400 millones de la misma institución. Se iniciaba así una serie de predicciones no cumplidas sobre el éxito de las negociaciones externas, que caracterizarían los meses siguientes. Dado el esquema cambiario, se venderían en el mercado financiero U$S 400 millones mensuales para financiar las importaciones. Pero el gobierno había explicitado que requería ayuda externa para renegociar los intereses y hacer frente al déficit. Con esta restricción a la vista, la crónica de lo sucedido en el plano de la negociación externa es quizás el eje que explica las vicisitudes y el debilitamiento progresivo del Plan. Los primeros dos meses fueron alentadores, aunque no se tradujeron en desembolsos efectivos.

El 4 de agosto el secretario del Tesoro de los EE.UU., James Baker, anunció un crédito puente de U$S 500 millones para la Argentina e hizo recomendaciones de apoyo a nuestro país a la comunidad financiera y al FMI. Asimismo, el presidente del Banco Mundial, Barber Conable, resaltó los esfuerzos del gobierno para estimular el crecimiento mediante medidas estructurales.

A esa altura del año se mostraba también auspiciosa la marcha de la balanza comercial en el primer semestre, y la buena perspectiva de precios por caída de la producción agrícola en EE.UU., China y Canadá. A fines de agosto se estimaba en medios financieros privados que las reservas del BCRA (la información sobre reservas no sería oficial en ningún momento del Plan) alcanzaba a U$S 2.000 millones, lo que superaba la circulación monetaria.

El 27 de agosto Machinea declaró: "Esta semana terminamos de negociar con el Banco Mundial y la próxima comenzamos a tratar con el FMI por un stand-by de U$S 1.500 millones hasta fin de año". Efectivamente, la primera semana de setiembre llegó una misión del FMI a Buenos Aires para comenzar el monitoreo del Plan. La percepción de la comunidad financiera interna era que las negociaciones estaban bien encaminadas. *Ambito Financiero* decía el 2 de setiembre: "El Banco Mundial debe pronunciarse sobre préstamos para la Argentina por U$S 1.300 millones: 350 millones para la reforma del comercio exterior y la desregularización industrial, 300 millones para la construcción, 250 millones para el sector energético, y 400 millones ya aprobados para la reforma bancaria, cuyo desembolso se produciría en los próximos días".

Una de las condiciones para obtener los préstamos del Banco Mundial era avanzar en la apertura económica, lo que implicaría a su vez para el gobierno una complicada negociación con las mismas corporaciones que lo apoyaban en el plan antiinflacionario. El 2 de setiembre el secretario de Industria y Comercio Exterior, Juan Ciminari, anunció que el 21 de ese mes se anularía la mayor parte del nomenclador arancelario de importación, con lo que comenzaba la apertura (y simultáneamente una dura pulseada con la UIA). El 5 de setiembre comenzaba la presión con declaraciones públicas de industriales para frenar la eliminación de la "autorización previa para importar a 2.000 posiciones", al tiempo que anunciaban su oposición a la reducción arancelaria que le seguiría.

El 9 de setiembre el ministro Sourrouille se manifestaba en

Buenos Aires y su secretario Daniel Marx en Nueva York. El primero ratificó la eliminación de la autorización previa a 2.600 posiciones el día 21 de setiembre, la reducción del techo arancelario de 50% a 40% y la aplicación de un arancel de 5% a bienes de capital no producidos en el país. El segundo recibía fuertes reproches de los Bancos acreedores por el atraso en el pago de intereses desde abril, lo que dio pie al temor de que la Argentina debiera esperar a concretar los préstamos puente, el stand-by y los que otorgaría el Banco Mundial, antes de acercarse a los Bancos comerciales.

En la segunda semana de setiembre volvió a hablarse en medios privados de un sólido nivel de reservas del orden de U$S 2.400 millones. El 13 la UIA ratificó el embate contra la apertura: sugería su postergación por ciento veinte días para profundizar el análisis. Los sectores más reacios a la reducción del techo arancelario eran el textil, papelero, de neumáticos y metalúrgico. Pero trascendió desde la negociación de Sourrouille, en Nueva York, que la eliminación del Anexo II (autorización previa para importar) era prerrequisito de los préstamos que otorgaría el Banco Mundial. Cuando el día 15 Sourrouille regresó al país con Conable se esperaba el anuncio del otorgamiento del préstamo, que finalmente se postergó. No obstante, se reflotó el optimismo al pronosticar *Ambito Financiero* el 19 que el préstamo stand-by se concretaría en dos o tres semanas.

Hacia fines de setiembre el gobierno comenzó a hacer concesiones en el plano de la reforma arancelaria: llevaría el piso de los aranceles a 10% y protegería a determinados productos como fibras textiles sintéticas, bujías y rodamientos. En reunión con Montagna el 22 de setiembre, Sourrouille conformó una lista de excepciones al techo arancelario del 40%. Esto distendió la relación con el empresariado, pero tendría luego sus costos en términos del otorgamiento efectivo de los préstamos del exterior.

Las dificultades que tuvo el gobierno para reducir los aranceles durante el Plan Primavera son sólo un tibio reflejo de la oposición que en general encontró por parte de grandes grupos empresarios cuando intentó impulsar la apertura de la economía y la reducción de los subsidios. Algunos detalles de esta lucha cruenta y subterránea entre el equipo de Sourrouille y los sectores que vivían a cobijo del proteccionismo y los favores del Estado eran descritos por la influyente publicación estadounidense *The Wall Street Journal* en una extensa nota de tapa aparecida el 31 de mayo de 1988. En este artículo (cuyo subtítulo decía: "Argentina intenta terminar con los subsidios que drenan a la Nación") podía leerse lo siguiente: "Los industriales argentinos prosperan, pero su mayor cliente —el Estado— está casi quebrado. Según un informe confidencial recibido por el gobierno, una empresa del Grupo Techint (Siderca), le cobra a la empresa estatal YPF más del doble del precio usual por las cañerías que le provee. El precio para YPF es U$S 51,06 por metro, mientras que su precio de exportación es U$S 22,47. Siderca está además protegida por altos aranceles de importación y por reglamentaciones que impiden importar a las empresas más del 48% de las cañerías que utilizan. Pero Rocca [*presidente de Techint*] desmiente parcialmente esta información. Reconoce que existe una protección equivalente a un tercio por encima del valor de las cañerías en el mercado internacional, pero afirma que Siderca sólo aprovecha la mitad de la protección disponible. Argumenta asimismo que la empresa está costruyendo una enorme planta siderúrgica con una inversión de U$S 600 millones, aunque reconoce que buena parte de los fondos provienen del Estado mediante los precios subsidiados: 'De otra forma sería imposible'. Cuando el gobierno amenazó con profundizar la apertura en el área siderúrgica, otra empresa del Grupo Techint, Propulsora, amenazó con cerrar su planta de Ensenada, que provee tres mil empleos pero que produce a precios superiores a los internacionales."

En otro tramo el artículo continúa refiriéndose a otros grupos: "La empresa Loma Negra —la mayor productora de cemento del país— de la señora Fortabat , ha prosperado fundamentalmente gracias a las obras de construcción del gobierno. Los industriales están dispuestos a algunos cambios, pero sólo a algunos. Eduardo Gruneisen, de Astra Petrolera, dice que acepta de buen grado la competencia de empresas extranjeras para la exploración de gas y petróleo, pero cree que la petrolera estatal debería continuar por el momento con el monopolio en la producción y la distribución de la energía."

La nota remata con la opinion de Javier González Fraga, un "economista de Buenos Aires", que luego sería presidente del BCRA en el gobierno de Carlos Menem: "El equipo económico enfrenta la oposición de empresarios que están felices vendiéndole al Estado. Son poderosos gracias a reglas impuestas hace cuarenta años. Son hijos de una economía cerrada, pero son ellos los que aportan dinero durante las campañas electorales."

La última semana de setiembre marcó el punto más promisorio del Plan Primavera en la marcha de la negociación externa. Durante esa semana se realizaba la asamblea mundial del FMI y el Banco Mundial en Berlín. El 25, el presidente del Banco Mundial declaró: "Hemos logrado un acuerdo con las autoridades argentinas sobre el programa económico. En apoyo de éste, recomendaré a nuestro director ejecutivo la consideración de dos préstamos de ajuste sectorial por U$S 700 millones. Tenemos previstos además otros dos préstamos de inversión por U$S 500 millones para viviendas económicas y equipamiento eléctrico. Esto elevará el total a U$S 1.250 millones."

Para lograr esta declaración el gobierno argentino había elevado una carta de intención cuyos puntos salientes eran: bajar el déficit fiscal a 2,4% del PBI en 1989, entregar el presupuesto de 1989 antes de fin de año, producir la reforma fiscal para aumentar la base imponible, rebajar los aranceles, impulsar la limitación a la promoción industrial, mantener el nivel de las tarifas y alcanzar exportaciones por U$S 10.200 millones en 1989. En esa ocasión un analista de *Ambito Financiero* afirmaba que "llegarían U$S 750 millones durante el mes de octubre y el resto antes de fin de año".

Es importante notar que la prensa financiera de Europa comentó luego del anuncio de Conable un posible disgusto del FMI porque el Banco Mundial otorgaba ayuda a la Argentina sin esperar un acuerdo previo de esta institución, tal como se hace habitualmente. La intensidad del rumor hizo necesaria una aclaración de Conable, dos días después de su anuncio, que obligaría a reconsiderar el optimismo: "Consultamos al FMI sobre los préstamos y Camdessus no puso objeciones serias. Además, el desembolso de los U$S 700 millones no se realizará antes de enero, fecha en la cual la Argentina debería haber concluido su negociación con el FMI."

Octubre, noviembre

A todo esto, la oposición política, con las elecciones a la vista, no escatimaba virulencia. A comienzos de octubre se difundió un documento del justicialista Domingo Cavallo que evaluaba al Plan Primavera y sugería una estrategia a Menem para debilitarlo. Cavallo partía del axioma de que el Plan dependía de un fuerte apoyo externo para su éxito, y que produciría a mediano plazo una fuerte aceleración inflacionaria con riesgo de hiperinflación. A partir de este supuesto proponía una estrategia contra el Plan de la que resaltamos dos instrumentos: 1) "Atacar el atraso cambiario, vinculándolo a la tablita de Martínez de Hoz y diciendo que dejará una bomba para después de las elecciones" y 2) "Responsabilizar a los organismos financieros internacionales por las consecuencias de financiar la acentuación de los despilfarros en el país y el atraso cambiario, todo lo cual hará mucho más difícil la recuperación posterior de la economía y la atención de los compromisos externos. En otras palabras, hay que procurar que el gobierno no pueda financiar el Plan y que se vea obligado a abandonarlo antes de las elecciones".

La apertura de la economía, por su parte, era objeto de tenaces negociaciones. Durante la primera semana de octubre hubo una nueva reunión de la UIA con el equipo económico, en la que el propio De la Fuente reconoció que el gobierno había aceptado muchas de sus inquietudes y que los sectores en los que no se alcanzara acuerdo el 20 de octubre continuarían con sus niveles arancelarios hasta que concluyera la revisión. Finalmente el mencionado 20 de octubre se lanzó la apertura, concluida con mucho apresuramiento y con inconsistencias entre las que no faltaron insumos o bienes intermedios con mayor nivel de protección que el bien final. Era el pobre resultado del intento del gobierno por conformar simultáneamente a la UIA y al Banco Mundial. Con el mismo objetivo se realizó un pago simbólico de U$S 100 millones a cuenta de intereses atrasados con los Bancos acreedores.

Hasta entonces el Plan parecía bajo control, pero octubre fue el primer mes de ventas fuertes de divisas en licitación (U$S 209 millones), y las tasas de interés seguían creciendo.

El mes termina con el Banco Mundial "confirmando" el otorgamiento de préstamos por U$S 1.252 millones. Sin embargo pasaron las semanas y los préstamos no se hicieron realidad. Daniel Marx debería volver a Nueva York a fines de noviembre, mientras Machinea en Buenos Aires ensayaba argumentos discutibles: "No puede haber retraso cambiario cuando el superávit comercial será de U$S 3.000 millones".

Diciembre

En la primera semana de diciembre la Argentina volvió a la primera plana de los diarios de varias capitales del mundo, pero no por el otorgamiento de préstamos sino por la rebelión de Villa Martelli. Simultáneamente desde Nueva York trascendía la dureza de los Bancos acreedores: de los U$S 3.500 millones solicitados para 1988/89 ofrecían U$S 2.000 millones (sólo en 1987 se habían otorgado U$S 1.900 millones) y pedían el aumento de los montos autorizados para capitalización (en agosto se habían hecho operaciones que implicaron cancelación de deuda con un valor nominal de U$S 326 millones) y la reimplantación del mecanismo *On Lending*.

A mediados de diciembre Machinea volvió a viajar a Nueva York y regresó como siempre: optimista pero sin stand-by. El 19 de diciembre Stanley Fisher, economista jefe del Banco Mundial declaraba: "La Argentina logró cierta estabilización haciendo probable la entrega de los primeros U$S 350 millones. En enero se toma la decisión final del comienzo de los desembolsos". En síntesis los préstamos parecían cada vez más lejos y condicionados.

La fricción con los Bancos acreedores se concentraba particularmente en el atraso del pago de intereses y la suspensión del *On Lending*. En ocho meses la Argentina había pagado sólo U$S 170 millones, un monto mínimo destinado a no perjudicar los balances de los Bancos ante las regulaciones que en Estados Unidos estipulan que luego de 180 días sin recibir rentas los préstamos no pueden devengar más intereses.

La comunidad financiera local se hacía una pregunta: ¿qué haría el Banco Central, aun contando con importantes reservas, si no alcanzaba un acuerdo con el FMI y los otros acreedores? Las versiones a fines de diciembre indicaban que el gobierno aun confiaba en que la presión de las nuevas autoridades norteamericanas (que asumirían el 20 de enero) sobre el FMI facilitarían el éxito en las negociaciones.

Enero, el final

El último mes del Plan trajo la profundización de la crisis energética, la difusión de alarmantes cifras del sector rural como consecuencia de la sequía y los episodios de La Tablada.

El 27, el periodista de *Reuter* Alan Wheatley enviaba el siguiente informe desde EE.UU.: "No se cree en Washington que haya stand-by para la Argentina. Las posibilidades de que la Argentina llegue a un acuerdo con el FMI y los Bancos antes de las elecciones se desdibujan rápidamente, según fuentes monetarias. El Fondo no cree que pueda haber medidas de austeridad en un período preeleccionario. Además, la falta de acuerdo con el FMI afecta indirectamente los acuerdos con el Banco Mundial, que adelantó que sólo liberaría los fondos si la Argentina cumple sus metas económicas".

El 30 de enero, mientras el público se había lanzado a una compra masiva de divisas, regresó Machinea de Washington sin anuncios positivos. Trascendió sin embargo que se buscaría un "acuerdo transitorio" con el Fondo hasta las elecciones (para el que estaría presionando el gobierno de EE.UU.) El acuerdo hasta fines de 1989 estaba descartado.

Es probable que la salida de James Baker III de su cargo de Secretario del Tesoro durante el mes de enero haya tenido también alguna incidencia en el fracaso de la negociación externa, ya que éste había sido un aliado del equipo económico que avaló explícitamente al Plan Primavera en su lanzamiento, y que posiblemente jugó un rol importante en las negociaciones con el Banco Mundial en la etapa en que éstas avanzaban con fluidez.

Durante la última semana del Plan la máxima aspiración del gobierno, dados los síntomas de descontrol de la situación, era una declaración respaldatoria del FMI y el comienzo de los desembolsos a partir de febrero. Pero el Plan concluyó el 3 de febrero sin que se alcanzaran estas metas.

Por qué

Como confirmando aquel principio según el cual "si algo *puede* salir mal, *sale* mal", la negociación externa que debía sustentar al Plan Primavera no tuvo éxito. Es que los requisitos de esta negociación en cuanto a ordenamiento fiscal y apertura económica eran de muy difícil cumplimiento por parte de un gobierno desgastado y a punto de dejar el poder. Recíprocamente, la no concreción de las negociaciones externas complicó el frente monetario y fiscal, alejando cada vez más al gobierno de la posibilidad de avanzar en las reformas estructurales.

En su probable diseño ideal, el Plan requería de una gran credibilidad inicial que facilitara la remonetización, la caída de las tasas de interés y la rápida convergencia de las variables para no incurrir en fuertes distorsiones de precios relativos. Luego de dos meses de comenzado fue evidente que el funcionamiento del Plan tenía otra lógica: su estabilidad se basaba mucho menos en la confianza y la reestructuración fiscal que en el fuerte atraso de ciertas variables y en el ingreso de capitales de corto plazo.

Obtener financiamiento para un modelo especulativo de este tipo que concluiría en una inevitable fuga de divisas de parte de quienes pudieran "salir" antes de la previsible recomposición de los precios relativos, era una quimera.

Si bien deben reconocerse muchos de los esfuerzos consistentes del equipo económico pese a su fracaso en lograr los cambios estructurales que posibilitaran un mejor desenvolvimiento del Plan, es por lo menos incomprensible que haya insistido en distorsionar tan abruptamente los precios relativos, con un costo en términos de estabilidad que al fin sería definitorio.

El relato puede completarse con las aclaraciones de uno de los protagonistas. Unos meses después de los hechos, el ex presidente del Banco Central José Luis Machinea dio su versión de la evolución de las reservas, los pagos a acreedores financieros externos y el movimiento del balance comercial durante el Plan Primavera. Desmiente ahí la creencia generalizada sobre el no pago de intereses al exterior durante el Plan, o sobre el nivel de las reservas, que según versiones muy difundidas se estimaban en enero en el orden de U$S 3.500 millones. En ese artículo, publicado el 8 de julio de 1989, Machinea aclara que las reservas internacionales de libre disponibilidad nunca superaron los U$S 2.500 millones, que durante el Plan Primavera se hicieron importantes pagos de intereses a acreedores externos, y que la suspensión de pagos se refirió sólo a los Bancos comerciales (con excepción de U$S 170 millones que se pagaron en el último trimestre de 1988). Esta suspensión no significó que no se hayan realizado pagos por intereses y amortizaciones a otros acreedores, pagos que alcanzaron la cifra de U$S 1.700 millones. Las cifras del informe de Machinea se sintetizan a continuación:

Fuentes y usos de las reservas internacionales del BCRA
(en millones de U$S) (1)

Concepto		
Cobro de exportaciones	4.504 (2)	
Préstamos del Gobierno Nacional	426	
Intereses ganados	118	
Depósitos en moneda extranjera	390	
		5.438
Usos		
Pagos de importaciones	321 (3)	
Intereses privados	89	
Intereses de la deuda pública	795 (4)	
Amortización de préstamos del sector público	773	
Amortización de títulos públicos	213	
Ventas a empresas públicas	293	
Ventas en licitaciones	1.754	
Otros	359 (5	
		4.597
Aumento de reservas internacionales disponibles		841

Notas:

(1) Valores correspondientes al período agosto 88 - enero 89, con excepción de las Ventas en Licitaciones (que incorporan tres días de febrero).

(2) Ingreso de divisas por exportaciones (50% de las promocionadas y 100% del resto).

(3) Son las importaciones que podían cursarse por el mercado oficial de cambios.

(4) Intereses de préstamos y títulos públicos en moneda extranjera.

(5) Incluye algunos servicios reales del gobierno nacional pagados por el mercado oficial, el aumento de las reservas indispensables, ALADI y otras partidas menores.

IV
UNA PEQUEÑA EVALUACION

Hay quienes aseguran que José Luis Machinea confesó que el Plan Primavera era como "cantar quiero retruco con dos cuatros y un seis". El Plan era muy riesgoso en el caso de fracasar, y su éxito dependía de variables poco controladas por el gobierno: los ingresos fiscales, la negociación externa, el efecto a corto plazo de algunos intentos de reformas estructurales, la estabilidad del sistema político, negociaciones salariales libres, la evaluación del público sobre el probable ganador en las elecciones y otros suficientemente importantes que actuaban incrementando las tensiones sobre el Plan.

La evaluación del Primavera deja impresiones contradictorias. Por un lado, su diseño respondió a objetivos claramente electoralistas: llegar al 14 de mayo con índices de aumento de precios razonables. La lealtad personal del ministro Sourrouille hacia el Presidente puede haber incidido para que un técnico de sus características, sobrio y racional, realizara una apuesta tan alta. Es realmente sintomático de una dualidad de objetivos, que junto a un diagnóstico profundo y actualizado de la realidad como el que proponía el Programa para la Recuperación, se intentara (y luego se insistiera) en un plan como el Primavera, que pese a su ingeniosa arquitectura técnica suponía, para obtener éxito, progresos de política económica casi inalcanzables y aun en este caso, dejaba para después graves dificultades del control de la economía.

Por otro lado, el gobierno podría exhibir algunos atenuantes para su implementación, vinculados con el funcionamiento de la clase política en particular pero también de la sociedad en general, muy especialmente en vísperas de una elección presidencial. El gobierno había caído en un profundo aislamiento del que era responsable, aunque no totalmente. Desde el 6 de febrero de 1987, la sociedad descreía de la capacidad del radicalismo para superar la crisis. El gobierno había quedado deslegitimado de poder. Enfrentaba una oposición política que rozó muchas veces el oportunismo o la demagogia. Había concedido a los sindicatos paritarias libres, al agro la promesa de no reimplantar retenciones, y a la industria una reducción en el IVA y una demora en el replanteo aperturista de la economía, sin asegurarse ninguna contrapartida en términos de aumentar la estabilidad del sistema. Asimismo, había enfrentado en el Parlamento una tenaz oposición a sus intentos de privatización de empresas públicas y limitación de la promoción industrial. Existía una especie de rebeldía y desorden creciente que se expresaba en índices de inflación en aumento a mediados de 1988, que acercaban nuevamente al fantasma de la hiperinflación. El plan de estabilización era inevitable, pero el diseño de éste en tales condiciones de aislamiento político no tenía infinitas variantes. Por el contrario, los caminos eran muy pocos.

Indudablemente el gobierno no quiso implementar un ajuste ortodoxo de alto costo social por razones electorales. ¿Pero podía acaso implantar en ese momento una "economía de guerra"? ¿Qué hubiese pasado si devaluaba, aumentaba las retenciones, las tarifas y los impuestos, congelaba los salarios, cortaba los subsidios, rebajaba aranceles de importación, intentaba prescindibilidades o decretaba privatizaciones? ¿No se hubiese desatado una ola de peligrosísima inestabilidad sociopolítica? Ciertamente, el no haber realizado en su momento un ajuste de este tipo derivó en un ajuste posterior "de hecho" de alto costo social como el que ocurriría entre febrero y junio del '89. Pero el gobierno no estaba ideológicamente de acuerdo con este tipo de políticas (Sourrouille siguió criticando hasta el final los ajustes ortodoxos del FMI aunque durante su gestión el poder adquisitivo del salario bajó de 82,5 en julio de 1985 a 69,15 en marzo del '89, tomando como base 100 enero de 1984), no tenía base de sustentación política para aplicarlas en caso de desearlo, y no quería suicidarse políticamente.

SALARIO NOMINAL, REAL Y PODER ADQUISITIVO DEL PROMEDIO GENERAL DE LA ECONOMIA(1)

Mes	Salario nominal (A / mes)	Salario real: Usualmente calculado (Ene 84=100)	Salario real: Efectivamente percibido (Ene 84=100)	Poder adquisitivo del salario real (Ene 84=100)
1984	26,92	93,99	103,29	95,89
1985	167,04	77,17	86,22	81,63
1986	324,94	76,58	86,08	83,94
1987	691,91	72,29	80,15	76,93
1988	2948,30	68,30	72,68	66,39
Jul. 85	204,53	74,18	84,46	82,55
Ago.	204,25	71,87	82,26	82,86
Sep.	205,20	70,80	81,05	81,02
Oct.	210,49	71,23	81,38	79,71
Nov.	213,53	70,62	80,37	79,73
Dic.	219,84	70,44	80,22	78,60
Ene. 89	6032,45	72,79	78,95	74,77
Feb.	6526,05	71,86	76,67	73,58
Mar.	7337,00	69,04	71,59	69,15
Abr.	9458,73	66,74	67,86	62,00
May.(a)	19259,93	76,14	74,90	62,00
Jun.(b)	33859,10	62,55	55,14	44,60
Jul. (c)	117552,97	73,22	67,90	56,30
Ago.(d)	104546,69	45,54	46,37	47,60
Set.				45,25

(a) Incluye pago de 1/3 Aguinaldo, que no fue descontado.
(b) Incluye efecto pago adelantado del aguinaldo.
(c) Pago asignación fija, adelanto de hasta 30000 australes, y descuento primera cuota.
(d) Pago de 8000 y descuento de segunda cuota del anticipo.

(1) Fuente: *Carta Económica*, setiembre 1989.

Una segunda alternativa hubiese podido ser tal vez un plan de estabilización que atenuara sus costos sociales mediante acuerdos políticos específicos con el agro, la industria y los sindicatos y que avanzara rápidamente hacia las reformas estructurales: esto era impensable. Como ya se dijo, cuando el gobierno quiso reducir la promoción industrial no encontró aliados; tampoco para privatizar algunas empresas (se oponían los sindicatos y el Justicialismo) acelerar la apertura económica (se oponía la industria) o reimplantar las retenciones (se oponía el agro).

Al gobierno le quedaban sólo dos alternativas. Plantear sus límites públicamente y eventualmente renunciar, o arriesgarse con un plan al que sólo financiaría o una milagrosa e inexplicable confianza del público y los acreedores externos o, por unos meses, los capitales especulativos de corto plazo. Por esta heterodoxa combinación de razones nació el engendro técnico llamado Plan Primavera, a causa del cual durante años nos seguiremos preguntando cómo hubiese sido nuestra economía si no hubiese existido.

La explicación económica inmediata de la dinámica y disolución del Plan ya es más obvia y subyace en la crónica. Este no anduvo bien ni en sus primeros sesenta días. Pese a la tranquilidad monetaria y cambiaria, la inflación no bajó tan rápido como su diseño requería y un aumento en el índice del 42,5% en los primeros dos meses sería el primer paso hacia el atraso de tipo de cambio y tarifas que se transformaría en una hipoteca para el Plan. Simultáneamente ocurrieron dos hechos decisivos: las negociaciones para obtener financiamiento externo fracasaron (las razones ya fueron explicadas en la crónica) y el déficit fiscal no se redujo significativamente. Este último hecho merece un comentario: el gobierno contuvo efectivamente gastos durante el Plan, pero la recaudación tributaria caía a su nivel más bajo en años (comenzaba la rebeldía impositiva y el cambio de cartera preelectoral), a tal punto que neutralizó el esfuerzo del gobierno en bajar gastos operativos y algunos financieros, como los redescuentos. La monetización, medida de la confianza en el Plan, no creció lo suficiente, y por lo tanto el financiamiento de parte del gasto público se hizo mediante una deuda interna crecientemente onerosa que realimentaba el déficit.

No es ésta la oportunidad para redundar en más detalles económicos (o en la influencia de factores político-sociales) que explican la dinámica del Plan. Sin embargo, tal vez sería interesante volver a situarse en el tiempo: por ejemplo, en diciembre de 1988. Era obvio en la comunidad de los negocios que la estabilidad cambiaria era sostenida no por la confianza en la solidez o los fundamentos del Plan, sino por la especulación financiera, que promovía el ingreso de capitales de corto plazo para obtener rentas diferenciales. Era altamente probable ya que no se llegara a mayo del 89 con el mismo esquema y que el atraso cambiario ya producido pusiera en alerta a todo el sistema para cambiar de portafolio ante el menor síntoma de quiebra del modelo. Probablemente el equipo económico tuvo una conversación en la cual se oponían (simplificadamente) dos argumentos. El primero puede haber sido: "Devaluamos y aumentamos tarifas ahora, así quedan emparejados los precios relativos y, si bien vamos a tener inflación, tal vez podemos retomar el control de las variables en 60 ó 90 días y llegamos bien a las elecciones. No deberíamos seguir así, es una bomba que nos va a reventar en las manos: la gente va a pasar a dólares antes de mayo y no vamos a poder sostener la situación con las reservas que tenemos."

Pero el argumento contrario, el que finalmente se impuso, fue probablemente el siguiente: "No. Si devaluamos ahora, no sólo vamos a tener una espiral inflacionaria sino que vamos a dejar colgada a tanta gente en el mercado financiero que creyó en nuestras promesas que la plaza será inmanejable. Ahora estamos jugados. Tenemos que acelerar la negociación con el Fondo, subir las tasas de interés todo lo que sea necesario y... rezar".

Estas argumentaciones en realidad no son totalmente inventadas. En un trabajo preparado por José Luis Machinea en setiembre de 1989, el expresidente del BCRA decía taxativamente: "En esta situación [*se está refiriendo a enero de 1989*] incierta, y sin la posibilidad de corregir el déficit fiscal, el diagnóstico del equipo económico fue que el intento de cambiar los precios relativos [*tipo de cambio y tarifas*] hubiera producido una aceleración de la tasa de inflación que hubiese sido imposible de detener. Aún más, el cambio en las reglas de juego hubiese realimentado la decisión del público de cambiar de portafolio".

En esa evaluación se jugó el destino del Plan, y probablemente el del gobierno, y tal vez comenzaba un nuevo tiempo para el país. A la luz de los hechos, la magnitud de la corrida cambiaria que se produjo fue también función de la magnitud del atraso cambiario anterior: al insistirse en profundizar los atrasos de dólar y tarifas (obviamente para mantener controlada la inflación) el ciclo contrario sería mucho mayor del que probablemente hubiese resultado alguna corrección anticipada de los precios. Pero no queremos profundizar más en la "Política Económica-Ficción", los hechos son ahora inmodificables, y deberían al menos servir para no "repetirlos como farsa".

Pero los problemas del gobierno habían empezado antes, cuando comenzó a comprender que las necesarias reformas estructurales sobre las que se empezaba a obtener un consenso social requerían para su implementación de un poder político que no había creado. Probablemente éste tardó en comprender que la magnitud de la crisis requería de la aplicación de medidas sustentadas en un alto grado de poder, obtenido mediante acuerdos o basado en el impulso inicial del triunfo electoral de 1983. Este tema clave tiene una importancia especial en relación al Plan Primavera: por su particular diseño, su probable fracaso no era un fracaso más, y haberlo implementado sin disponer de una mayor cuota de control sobre las variables económicas y sociales fue realmente temerario.

Pero el gobierno tuvo adversarios poderosos que merecen ser recordados: la cultura financiera-especulativa y los analistas económicos y políticos.

La cultura financiera especulativa en la Argentina

El razonamiento especulativo de corto plazo y la preferencia por la liquidez de las carteras están absolutamente exacerbados en nuestra comunidad financiera. Pedir confianza inmediata a un mercado con esta mentalidad no es realista. La desconfianza es la primera norma de la comunidad financiera local. ¿Cómo esperar que con las tremendas transferencias de riquezas que hubo en el mercado financiero en los últimos quince años los operadores vendieran sus dólares o permanecieran en australes, luego de que, por ejemplo, la inflación creciera un 58% en tres meses, mientras el dólar subía apenas un 3%?

Lo anterior puede dar una idea alarmante, y no enteramente veraz, de los operadores económicos en la Argentina. En realidad no se trata de monstruos sedientos de sangre, sino de los productos naturales de una sociedad que los ha creado y los realimenta día a día. Son los resultados de una cultura de larga data, absolutamente establecida y aceptada por la comunidad en su conjunto. Una economía no funciona sin reglas de juego, y los operadores son los que juegan según las reglas. Pedirles otra cosa sería utópico, ingenuo, o malintencionado.

Los analistas económicos

Parecen accesorios, pero no lo son tanto. Los comentaristas de temas económicos de los diarios más leídos y de los programas radiales o televisivos de más audiencia no se limitan a observar la realidad: a veces parecen crearla. Su experiencia, unida a su cautela, les hace elegir siempre, de todas las predicciones posibles, la peor. La gente les cree, y lo peor termina haciéndose realidad, y una vez más ellos han acertado en sus profecías.

Si bien resultaría absurdo afirmar que un diario puede hacer fracasar un plan económico, sería también muy poco realista no reconocer la influencia que sobre un plan tan basado en las expectativas como el Primavera puede haber tenido la prédica cotidiana de un medio con la capacidad de penetración de *Clarín*.

Por último, cuando se habla de la influencia de los medios en la Argentina de los años ochenta, no debería olvidarse al periodista Bernardo Neustadt, quien a través de sus programas radiales y televisivos contribuyó a crear una fuerte corriente de opinión en favor de las privatizaciones, aun entre capas sociales en las que no se habría esperado que cundiera tal prédica. Para ello contrastó tenazmente los innumerables ejemplos que le brindaba la realidad cotidiana en términos de servicios públicos deficientes con los resultados que en este aspecto había permitido alcanzar el liberalismo en países desarrollados. Es paradójico que, tras haber sido el equipo del ministro Sourrouille el que introdujo en la discusión política del país el tema de los subsidios, un periodista haya contribuido, mediante el uso combativo de ese tema, a enterrar políticamente a ese equipo.

El Conflicto entre el Corto y el Largo Plazo

Un programa de transformaciones estructurales plantea para la Argentina un dilema de difícil solución. En una primera etapa las reformas estructurales implican un cambio de precios relativos y del funcionamiento económico que genera resistencias e inestabilidad. Esta resistencia e inestabilidad consumen la confianza y el impulso inicial y diluyen la posibilidad de la reforma de fondo que necesita más tiempo para madurar. Se produce un circuito del tipo "la economía estaba distorsionada y requiere reformas en su estructura, pero para reformarla es necesario un período cuyos costos muchos sectores no están dispuestos a aceptar". Atravesar este valle "de descontento" depende de la obtención de financiamiento interno y externo.

Un funcionario inteligente que hubiera actuado en el equipo de Sourrouille podría cuestionar este planteo, un año después, con la perspectiva del tiempo y los hechos: "En el vértigo no hay plazos cortos ni medianos ni nada. Hay una ficción que es necesario mantener en movimiento. No podíamos decir la verdad, pero la ética no estaba en juego, porque lo que decíamos tampoco era una mentira. La verdad era que no había financiamiento, y por lo tanto no había plazos. Si lo decíamos, todo se derrumbaba. Había en cambio medios, precarios, pero medios al fin, de mantener la pelota en movimiento. Y no había otra cosa. El 31 de enero la palabra se dijo, y la estantería cayó".

Cierre del Plan Primavera

Advertirá el lector que preferimos dejar en suspenso un juicio categórico sobre las responsabilidades de lo ocurrido, de que oscilamos, como la realidad, entre la crítica y los atenuantes. Vimos, por parte del gobierno, electoralismo, temeridad, ingenuidad. Pero también vimos una oposición salvaje, por momentos oportunista. También observamos que el gobierno hizo intentos en la dirección correcta, realizó un importante aprendizaje estando en el poder, trató de actualizar su doctrina e intentó, sin lograrlo, limitar los costos sociales de sus políticas. Por cierto debe reconocerse que hubo momentos en que la oposición fue más tolerante y en que sindicatos y empresarios mostraron inclinaciones más acuerdistas.

Sin embargo, no querríamos diluir totalmente la evaluación de lo sucedido diciendo solamente que es "una consecuencia propia de un cuerpo social desordenado y caótico".

En cierto sentido, la clase política llegada al poder en 1983 subestimó la magnitud de las dificultades económicas que enfrentaría. En rigor, siempre un gobierno debería estar preparado para los egoísmos sectoriales, la demagogia de la oposición, la incertidumbre por las elecciones o el necesario costo social de transformaciones que se juzguen imprescindibles. Si bien todo el cuerpo social ha desarrollado comportamientos colectivos perversos, no nos parece injusto afirmar que los encargados de gobernar tienen la obligación de aprender y prever estas circunstancias antes de llegar al poder en la medida de lo posible, y esto no ocurrió obviamente en el área de la economía, especialmente de los primeros años del gobierno radical.

C A P I T U L O   D O S

Las Ocho Semanas de Sourrouille

Del 6 de febrero al 31 de marzo de 1989

EL 6 DE FEBRERO

La pérdida de U$S 495 millones la semana del 30 de enero al 3 de febrero, pese a tasas de interés nominales que llegaron a un nivel del 20%, terminó de convencer al gobierno de que el esquema cambiario ya no era viable. Aun cuando el monto preciso de reservas, como dijimos, no era públicamente conocido, estaba claro que un país sin apoyo financiero externo, con claro retraso cambiario y una situación política incierta, necesitaba limitar el acceso a dichas reservas. En consecuencia, a partir del 6 de febrero se decidió suspender la licitación abierta de divisas y vender dólares exclusivamente a los importadores. Esta decisión afectaba muchos intereses y alianzas, y le produciría un irreparable daño a la credibilidad del gobierno. Pese a la necesidad obvia de interrumpir el riesgoso esquema cambiario, el paso que finalmente se dio había sido formal y explícitamente negado durante las semanas previas, y muchos operadores habían confiado en esta desmentida, o al menos creyeron que el cambio se produciría más adelante.

El resultado inmediato de la medida fue un brusco aumento del dólar libre, que afectó a quienes habían ingresado capitales de corto plazo confiando en la estabilidad cambiaria y a sus "socios", los operadores del mercado a futuro. Subían los costos para quienes habían postergado el pago de importaciones, y tampoco estarían muy felices los que habían liquidado exportaciones las semanas anteriores confiando en la palabra de Machinea. Finalmente, cientos de miles de ahorristas veían reducido su patrimonio, medido en moneda extranjera, en sólo algunas horas (aunque la pérdida no llegara a anular el total de ganancias obtenidas en los meses anteriores), y los también cientos de miles de turistas argentinos que veraneaban en Uruguay y Brasil reconsideraban con creciente alarma el costo de sus vacaciones. En síntesis, con las modificaciones introducidas el equipo económico preservaba las reservas, pero exacerbaba antiguos enemigos y cosechaba otros nuevos.

Ahora el esquema cambiario quedaba compuesto por un dólar comercial (14,41 australes, aplicable a las exportaciones agropecuarias), un dólar especial (18,01 australes, un 25% mayor que el comercial, aplicable a las importaciones) y un dólar libre, que el gobierno estimaba se ubicaría en un nivel del 20% por encima del especial. Las exportaciones industriales se liquidarían un 50% por el dólar comercial y un 50% por el especial. El ritmo de devaluación del dólar comercial no se alteraba, y por lo tanto sería de 6% para todo febrero. Asimismo se anunció un nuevo cronograma de unificación cambiaria por el cual, insistiendo con el sistema de los mix, a partir de marzo y en los meses subsiguientes las exportaciones agropecuarias e industriales se liquidarían en porcentajes crecientes por el dólar libre.

La pauta de aumento para tarifas y salarios del sector público sería del 6%. En el área de precios se mantenía el acuerdo realizado en enero con los empresarios: para febrero se fijaba una pauta de aumento automático medio punto inferior al aumento de tarifas del mes anterior (sería entonces del 5,5%.). Se mantenía a su vez (y fue ratificado por la Resolución Nº 450 de la Secretaría de Comercio Interior) el sistema de precios administrados, para verificar y eventualmente autorizar aumentos superiores a la pauta justificados en mayores costos. Sin embargo, en un comunicado del Ministerio de Economía, y pese a que el sistema no preveía topes a la autorización de excepciones, se mencionaba en forma ambigua un límite de 6% en los aumentos que pudieran autorizarse. Este punto, finalmente no respetado, crearía gran malestar en los socios del gobierno que ya veían las primeras señales de rebrote inflacionario.

En el plano monetario, el gobierno anunciaba en febrero un programa todo lo restrictivo que fuese necesario para contener al dólar libre, iniciando una etapa de fuerte colocación en el mercado de títulos públicos, sustitutos de las divisas, para desalentar la demanda de dólar libre.

Al comenzar esta nueva etapa, Machinea comunicó formalmente que la Argentina continuaría sin pagar intereses a los Bancos del exterior hasta no arribar al largamente anunciado y nunca obtenido acuerdo con el FMI, que parecía cada vez más lejano. Asimismo, no hubo la menor referencia al plano real de la economía: los salarios, la ocupación y el nivel de actividad, que mostraban señales de deterioro en los últimos meses, pasaban a subordinarse, a 97 días de las elecciones, a lo que sucediera en el plano financiero-cambiario. En esto el gobierno sí tenía un aliado: la pasividad del sindicalismo, preocupado por no afectar la imagen del Partido Justicialista.

PRIMERA SEMANA
6/2 al 12/2

- Dólar libre:(1) 25,80 australes - crecimiento en la semana: 46%
  - crecimiento en el mes calendario: 45,7%
  - crecimiento desde fines del Plan Primavera (3/2/89): 46,0%
- Dólar agropecuario: 14,48 australes - crecimiento en la semana: 3,0%
  - crecimiento en el mes calendario: 3,9%
- Dólar importación: 18,10 australes
- Brecha dólar libre / dólar agropecuario: 78,2%
- Tasa de interés call money Banco Privado: 16,58%
- Tasa de interés Interempresario: 12,47%
- Inflación del mes de febrero (Indice combinado mayorista/minorista): 9,0%
- Máxima oscilación del dólar libre en la semana: 53,9%

El lunes 6 de febrero fue declarado feriado cambiario. El martes comenzaron las operaciones, y el miércoles el dólar libre había llegado a 27,20 australes, es decir a un nivel 54% mayor que cinco días atrás.

Fue una semana de acusaciones, quejas y convulsión financiera. Se iniciaba una etapa en la que el equipo económico vería crecer

(1) Todos los datos que encabecen las crónicas semanales pertenecen al último día hábil de la semana respectiva. (*N. del A.*).

la soledad a su alrededor. Machinea acusó a Cavallo de haber advertido a los Bancos acreedores que no dilataran el cobro de intereses a la Argentina "porque era una forma de contribuir a la campaña del radicalismo, y que si no exigían el cobro ahora no los cobrarían luego en caso de triunfar Menem". Cavallo no desmintió la versión, admitiendo haber aconsejado a Menem que "no pagara la factura de ninguna refinanciación de corto plazo", y que si los Bancos deseaban financiar los intereses "los incorporaran al capital y los refinanciaran por 19 años".

Las críticas al equipo económico eran feroces y llegaron hasta una insinuación del diario *Ambito Financiero* sobre la existencia de grupos que habían obtenido ganancias de U$S 100 millones con la modificación cambiaria, fondos que contribuirían a la campaña radical. Este matutino, en un ataque llamativamente directo, decía: "El equipo económico sabe que no tiene porvenir político porque cualquiera de sus integrantes despertaría una estampida en los mercados si se integrara a otra gestión". Y agregaba: "Es el precio que se paga por este tipo de jugadas bruscas que afectan intereses de personas decisivas en la estabilidad de los mercados y en los procesos de inversión del país".

Eduardo Duhalde, candidato a vicepresidente por el Partido Justicialista, tampoco ahorró críticas: "Analizando el costo social del Plan Primavera tenemos la obligación de señalar que el grado de irresponsabilidad del gobierno es casi criminal. Hizo perder a los argentinos U$S 2.000 millones que pasaron a capitales golondrina, a unas pocas empresas contratistas y a un consumo de verano ostentoso y socialmente agresivo". También en el plano político el vicegobernador de la Provincia de Buenos Aires, Luis Macaya, se preguntaba: "¿Cómo se puede llamar a un presidente que regaló millones de dólares para sostener un plan electoralista?" Curia, Bauzá, Matzkin y Octavio Frigerio hacían cuestionamientos similares.

Las corporaciones rurales, ya cerradamente opositoras, redoblaron sus críticas, en la voz de Alchourrón (SRA), Volando (FAA) y Navarro (CARBAP). Las corporaciones industriales, que eran los últimos aliados del equipo económico, iniciaron a partir de aquí un gradual alejamiento. De la Vega y De la Fuente se apresuraron a aclarar que no habían sido consultados sobre las modificaciones y que, consiguientemente, no reconocían ninguna responsabilidad. Advirtieron además que no admitirían ningún tope en el mecanismo de negociación de los precios administrados.

Completando el cuadro, el propio Angeloz, candidato a presidente por la UCR, tomó también distancia de Sourrouille afirmando: "De haber estado yo al frente del gobierno la situación económica no tendría la gravedad de esta circunstancia, porque habría hecho los ajustes necesarios para reducir el déficit fiscal. Si llego a la presidencia, al día siguiente tendremos un mercado único y libre de cambios en el país".

¿Cuál era el telón de fondo de esta avalancha de críticas? Además de la inminencia de las elecciones (y, por qué no, del disgusto personal de algunas personalidades que tal vez tenían un portafolio colocado mayormente en australes), la primera semana mostró un desorden financiero que repercutió sobre toda la sociedad. Además de crecer el dólar libre un 46% en la semana, aumentó y bajó un 12% en un solo día, con márgenes de hasta 26% entre la cotización compradora y vendedora. Estas oscilaciones iniciaban una etapa de transferencias de riqueza entre particulares, y de particulares con el Estado, que aumentaban el malestar y la incertidumbre.

Sobre el dólar libre no sólo presionaban los capitales especulativos (comprometidos en el mercado a término), sino también importadores que habían postergado sus operaciones y a quienes no se les aseguraba la obtención de divisas al tipo de cambio especial. Tampoco, por cierto, contribuían a tranquilizar el mercado cambiario la difusión de estimaciones sobre la caída de los ingresos agrícolas que se produciría en 1989 a causa de la sequía y la menor área sembrada.

El mercado cambiario estaba padeciendo lo que se podía denominar "Síndrome de la Puerta Doce", por el recuerdo de la tragedia ocurrida en la década de los sesenta a la salida del estadio del Club River Plate, cuando la concentración de una multitud sobre una estrecha puerta de salida produjo decenas de muertos.

Al actuar desorganizadamente, sin una coordinación central, los operadores competían entre sí por los escasos dólares disponibles, y hacían subir su precio a niveles mayores de los que hubiesen resultado de una situación de menor pánico y de movimientos más graduales. Era un juego en el que todos perdían, pero en el que nadie se decidía a esperar que la situación se tranquilizara por temor de que luego empeorara aún más. Este mecanismo se realimentaba día a día, y seguiría repitiéndose durante cuatro fatídicos meses.

Los pronunciamientos de Angeloz, unidos a los de los candidatos presidenciales Menem y Alsogaray, a favor de un dólar sin retenciones, alto y libre, eran difíciles de compatibilizar con algunos condicionamientos básicos de la economía argentina. Las retenciones a las exportaciones agropecuarias cumplían un rol central en los ingresos fiscales que el déficit estructural de las finanzas públicas (sustancialmente agravado en la última década) no permitiría eliminar fácilmente. Un dólar "alto" era probablemente deseable para un país con bajo nivel de exportaciones y dificultades de balanza de pagos, pero la fuerte incidencia de los bienes-salario en las ventas externas ponía límites muy concretos al aumento en la relación dólar/salario que serían difíciles de sobrepasar. Por último, era poco probable esperar un dólar absolutamente libre en una economía con un déficit crónico en la cuenta corriente de su balanza de pagos. La relación entre los servicios de la deuda externa y el superávit comercial (que oscilaba entre 2 y 10 veces en años recientes) originaba una demanda excedente sobre el mercado cambiario que transformaría su supuesta libertad en una fuente de permanente volatilidad.

Esta apelación recurrente a la magia del dólar libre, alto y sin retenciones podía catalogarse como ingenuidad o artilugio preelectoral, y definitivamente hacía pasar por idiotas o perversos a decenas de presidentes de la Nación y centenares de funcionarios del área de economía que habían pasado por el gobierno en las últimas décadas sin atinar a utilizar tan poderoso instrumento.

SEGUNDA SEMANA
13/2 al 19/2

- Dólar libre: 26,10 australes - crecimiento de la semana: 1,2%
  - crecimiento del mes calendario: 47,5%
  - crecimiento desde fines del Plan Primavera (3/2/89): 47,7%
- Dólar agropecuario: 14,60 australes - crecimiento de la semana: 1,2%
  - crecimiento del mes calendario: 47,5%
- Dólar importación: 18,25 australes
- Brecha dólar libre / dólar agropecuario: 78,8%
- Tasa de interés call money Banco Privado: 29,08%
- Tasa de interés Interempresario: 26,11%
- Inflación del mes de febrero (Indices combinados mayorista/minorista: 9,0%
- Máxima oscilación del dólar libre en la semana: -11,1%

El dólar llegó a 31 australes, y cerró a 26,10 australes a costa de una subida sustancial en la tasa de interés, que llegó a rendir un 30%, en un mes en que la inflación se proyectaba menor al 10%. La divisa tuvo alzas de hasta un 8% en un solo día.

El BCRA apeló en forma creciente a la colocación de letras ajustables por dólar, que suscitaron enorme interés dada la expectativa devaluatoria. En una sola jornada ofreció 500 millones de australes en estos títulos, y recibió ofertas por 3.000 millones de australes.

Las medidas del 6 de febrero no cumplían ninguno de los objetivos para los que fueron creadas: defender las reservas y bajar las tasas de interés. La oferta de divisas había desaparecido y los importadores se llevaban entre U$S 22 y U$S 30 millones diarios. Además, el pago de amortización de capital e intereses de los Bonex había significado un egreso de U$S 400 millones para el BCRA. Un sector externo mucho más contractivo que lo que el Banco Central había imaginado en su programa monetario de principios de mes contribuía a alimentar el alza de las tasas de interés.

La situación de inseguridad y el malestar general tenían reflejo en manifestaciones públicas de instituciones empresarias. La Bolsa de Comercio de Buenos Aires publicó una solicitada titulada "Hacia adónde vamos", criticando "las prácticas que incentivan la aventura financiera, generadoras de incertidumbre e inseguridad". El sector agropecuario expresó su enojo con una peculiar solicitada que decía: "Vendemos dólares a 14,48 australes (tipo de cambio agropecuario). Gentileza del sector agropecuario argentino".

Al verano caliente de la plaza financiera no eran tampoco ajenos los efectos de la crisis energética y los coletazos de los hechos de La Tablada (por esos días se difundía la noticia de un crédito otorgado por el Banco Hipotecario Nacional a Jorge Baños, uno de los dirigentes del MTP que, como ya se mencionara, había liberado el ataque al regimiento de La Tablada).

Desde el exterior, eran preocupantes las dificultades que atravesaba el plan de estabilización en Brasil (con una brecha cambiaria del 70%, oposición sindical a privatizar y huelga general) o la necesidad de Venezuela de lanzar un duro plan de ajuste.

El vocero presidencial José Ignacio López tuvo que desmentir la renuncia del equipo económico diciendo que "contaba como siempre con la confianza del Presidente" (ya se mencionaba como reemplazante de Sourrouille a Krieger Vasena). Pero los rumores de devaluación, hacia fines de la semana, no fueron desmentidos con la misma fuerza. Se preveía otro fin de semana de negociaciones y cambios de política económica.

El sábado 18 de febrero el gobierno hizo un fuerte movimiento para integrar al sector agropecuario a los acuerdos con los empresarios, hecho que se consideraba clave para poder tranquilizar al sector externo, dado el supuesto de que existía una fuerte retención de divisas. Esa noche, el presidente Alfonsín cenó con Alchourrón (SRA), Legerén (CRA), Rassoni (Coninagro) y el secretario de Agricultura Figueras durante dos horas y media, y los comprometió a reunirse nuevamente con Figueras al día siguiente. Se discutió en esa reunión la modalidad y montos de una posible devaluación y sus efectos en términos de precios.

Mientras los dirigentes rurales iban a la Secretaría de Agricultura (donde no admitían otra cosa que no fuera un dólar único y libre), dirigentes industriales y banqueros se reunían con la plana mayor del equipo económico (Sourrouille, Machinea, Brodherson, Kiguel, Sommer y Gándara) en la sede del Banco Central. Fue un domingo de arduas negociaciones. El gobierno pedía a los empresarios que no trasladasen a los precios la devaluación que negociaba simultáneamente con el agro, y no vacilaba en utilizar argumentos del tipo "o nos ayudan, o lo tienen a Menem como presidente".

El fin de semana concluyó sin acuerdo y sin medidas; por lo tanto el lunes 20 de febrero sería feriado cambiario por segunda vez en dos semanas.

TERCERA SEMANA
20/2 al 26/2

- Dólar libre: 27,00 australes - crecimiento en la semana 3,4%
  - crecimiento en el mes calendario: 52,5%
  - crecimiento desde fines del Plan Primavera (3/2/89): 52,8%
- Dólar agropecuario: 17,18 australes - crecimiento en la semana: 17,7%
  - crecimiento en el mes calendario: 23%
- Dólar especial: 18,40 australes
- Brecha dólar libre / dólar agropecuario: 57,2%
- Tasa de interés call money Banco Privado: 28,08%
- Tasa de interés Interempresario: 23,19%
- Inflación del mes de febrero (Indice combinado mayorista/minorista): 9,09%
- Máxima oscilación del dólar libre en la semana: 5,9%

A última hora del lunes 20 se difundió un nuevo esquema cambiario, que no modificaba la cotización de los tipos de cambio sino los mix de liquidación. Las exportaciones agropecuarias se liquidarían 80% por el dólar comercial y 20% por el libre. Las exportaciones industriales también obtenían una mejora: 30% se liquidarían por el dólar comercial, 50% por el especial y 20% por el libre. Estos porcentajes regirían hasta el 31 de marzo, y luego se anunciaba la consabida unificación que concluiría en el mes de noviembre. Reforzando los incentivos para que el agro liquidara divisas, el BCRA autorizó la prefinanciación de exportaciones por el dólar libre y amplió el plazo de esta operatoria a 540 días, tratando de captar divisas por las cosechas gruesa y fina de los años 89 y 90.

Pese a las medidas el dólar no bajó, y por primera vez desde el 6 de febrero el equipo económico tuvo que admitir que su piso era de 25 australes, muy por encima de los 21 australes con que probablemente soñaba al lanzar la reforma cambiaria. Tampoco bajaron las tasas de interés (se pagó hasta 27% mensual a grandes inversores), frustrando el otro objetivo del gobierno con esta segunda reforma.

El nuevo esquema fue duramente criticado, tanto desde el flanco político como desde el técnico y el corporativo. Desde el análisis técnico, se hacía resaltar la paradoja de que el sistema transformara al agro en árbitro de la estabilidad cambiaria. Si no vendía, hacía subir el dólar libre y con ello su propio mix. Si vendía, hacía bajar al dólar libre y podía recomprar más abajo. Además de estas especulaciones teóricas, la versión de que por efecto de la sequía y la fuerte prefinanciación no existía oferta de divisas disponible enrarecía el mercado, lo mismo que la reticencia de los productores a entregar los granos en un contexto de alta incertidumbre y a causa de la "tablita de unificación".

La reacción de las entidades agropecuarias a las nuevas medidas fue un rechazo terminante. Volvieron a solicitar la unificación cambiaria y se colocaron en estado de "consulta permanente ante la grave situación del sector" (Coninagro, SRA, CRA y FAA). El presidente de CARBAP, Arturo Navarro, fue más lejos: propuso la adopción de medidas de acción directa en lo inmediato.

La UIA y la CAC ratificaron su estrategia declarándose prescindentes y no responsables por las últimas medidas; pero le advertían al gobierno que abandonarían el Comité de Precios si no se los consultaba en la elaboración de las pautas para el mes de marzo, ante versiones circulantes en este sentido.

La cuestión cambiaria era sólo una de las preocupaciones del gobierno: los precios, ante las primeras (y previsibles) señales de desbordes, también exigían medidas. Desde comienzos de mes los precios de los alimentos habían aumentado muy por encima del promedio de inflación esperado para todo febrero. Ante estos síntomas de rebrote inflacionario el gobierno lanzó el nuevo régimen de precios para marzo a través de la Resolución Nº 35 de la Secretaría de Comercio Interior. La decisión (no debatida, como se había acordado, en el seno del Comité de Seguimiento de Precios) sería un paso importante en dirección a la ruptura del gobierno con la UIA y la CAC. Al día siguiente de conocida la Resolución, la CAC lanzó un comunicado expresando su desacuerdo con las nuevas disposiciones, y la UIA emitió otro denunciando que la norma violaba un pacto con el Presidente en el sentido de no modificar la política de precios sin consulta previa con las entidades empresarias.

El nuevo régimen de precios no era sustancialmente diferente a los anteriores, pero proporcionó la excusa que la UIA y la CAC necesitaban para no quedar identificadas con un equipo económico que seguía desmoronándose, y para no comprometerse a respetar niveles de precios que, si el mercado lo permitía, no respetarían. La Resolución Nº 35 establecía un aumento de precios autorizado automáticamente de hasta el 7,5% para las empresas líderes, y de hasta el 8,8% para el resto de las empresas. Si los aumentos solicitados eran mayores, el plazo de respuesta de la Secretaría era consecuentemente mayor.

La semana concluyó con desalentadoras noticias del exterior. La *prime rate* subía en EE.UU. hasta 11,5% y en Uruguay se estimaba en U$S 500/600 millones los capitales golondrinas llegados desde la Argentina luego de la reforma del 6 de febrero.

CUARTA SEMANA
27/2 al 5/3

- Dólar libre: 32,80 australes - crecimiento en la semana: 21,5%
  - crecimiento en el mes calendario: 16,3%
  - crecimiento desde fines del Plan Primavera (3/2/89): 85,6%
- Dólar agropecuario: 18,49 australes - crecimiento en la semana: 0,5%
  - crecimiento en el mes calendario: 5,9%
- Dólar especial: 18,63 australes
- Brecha dólar libre / dólar agropecuario: 77,4%
- Tasa de interés call money Banco Privado: 21,27%
- Tasa de interés Interempresario: 18,95%
- Inflación del mes de marzo (Indice combinado mayorista/minorista): 18,0%
- Máxima oscilación del dólar libre en la semana: 21,5%

El fin de mes sorprendió al mercado financiero con la expectativa puesta en la plaza cambiaria, a raíz de los vencimientos de los contratos a futuro. El equipo económico estimaba que las compensaciones por contratos a futuro eran una causa importante de las convulsiones cambiarias, y que pasado el último día del mes la plaza recuperaría la calma. El temido día 28 llegó y pasó con menores traumas (al menos en la superficie) de lo que podía esperarse. Los vencimientos de contratos a término se estimaban ese día en U$S 7.000 millones, con pérdidas (en la mayoría de los casos previamente prefinanciadas) del orden de los U$S 241 millones. La anécdota que más circuló ese día se refería a los "juniors" de financieras y Bancos que habían hecho negociados por su cuenta (aunque invocando el respaldo de su empleador) y que debían afrontar además del desastre financiero un probable despido.

Febrero concluía con tasas de interés reales activas en un promedio de 11,1%, que ponían al sistema financiero en estado de emergencia. Por esta razón, y considerando que dicho nivel de tasas no había podido contener al dólar libre, el BCRA decidió bajarlas durante el mes de marzo. Los tres primeros días del mes las tasas nominales bajaron hasta diez puntos mensuales, y el dólar respondió subiendo un 16,3%. De este modo, para preservar al sistema financiero, el BCRA en cierta forma convalidaba la suba del dólar libre.

Durante la semana siguió ausente la oferta de divisas comerciales, y tampoco se apreciaba el ingreso de capitales de corto plazo. Por lo tanto la demanda de los importadores seguía consumiendo las reservas. Sólo en estos siete días el dólar libre creció un 21,5%.

Para complicar más aún las cosas, llegaron noticias inquietantes del exterior, esta vez desde la sede del Banco Mundial en los EE.UU., y desde Venezuela.

El 2 de marzo el Banco Mundial anunció oficialmente la suspensión por "incumplimiento de condiciones" de un tramo de U$S 350 millones del préstamo otorgado al país, cuyo desembolso debía realizarse en esos días. De los U$S 1.250 millones otorgados, sólo se habían recibido U$S 150 millones para política comercial y U$S 104 millones para el sector eléctrico. Para obtener el préstamo del Banco Mundial, la Argentina había prometido: aprobar el presupuesto de 1989 antes de finalizar el año 1988, bajar el déficit fiscal de 1988 a 2,4% del PBI, una reforma fiscal que ampliara la base imponible de todos los impuestos, una segunda rebaja arancelaria y un importante ingreso fiscal obrtenido con la venta de divisas en licitaciones. Casi ninguna de estas condiciones se había cumplido, y el Banco Mundial daba por concluida la riesgosa jugada de realizar acuerdos con un país sin esperar la conformidad del FMI. Como respuesta a este anuncio, el Ministerio de Economía emitió un comunicado en el que afirmaba que la suspensión de desembolsos se refería exclusivamente a un tramo de U$S 350 millones y no afectaba a los otros tramos del préstamo. Simultáneamente, Daniel Marx realizaba febriles negociaciones en Washington para remontar la situación, prometiendo una nueva rebaja arancelaria y la autorización de importaciones automáticas.

La percepción del estado de la negociación exterior era, en esos momentos, muy grave. El país no tenía crédito externo, no había firmado el stand-by con el FMI, no recibiría fondos del Banco Mundial, tenía un enorme atraso con los Bancos acreedores y existía la probabilidad de que se los considerara "valor deteriorado" en la clasificación del riesgo crediticio que realiza una junta de Bancos en los EE.UU.

Pero las noticias más alarmantes provenían de Venezuela. El lanzamiento de un programa de ajuste acordado con el FMI producía una ola de disturbios que afectó a las ciudades más importantes del país y dejó un saldo provisorio de más de doscientos muertos. El aumento del 90% en el precio de los combustibles y del 100% en las tarifas del transporte (pese a que el gobierno sólo había autorizado un aumento del 30% en este segundo rubro), desencadenó una ola de violencia que obligó a la intervención del ejército y a suspender las garantías constitucionales. Los principales centros comerciales de Caracas fueron virtualmente arrasados, y varios días después las calles del centro reflejaban aún el paso de la violencia con muebles y puertas destrozados, vidrios impidiendo la circulación y cortinas metálicas retorcidas y ennegrecidas como en una zona de guerra. El presidente Pérez había advertido que ante la caída de las reservas era inevitable concurrir al FMI, y que la gente debía entender que había que ajustarse el cinturón al acabar el boom petrolero. La deuda externa venezolana ascendía a U$S 32.000 millones, y el acuerdo con el FMI implicaba préstamos por U$S 1.240 millones en 1989, U$S 1.531 millones en 1990 y U$S 1.541 millones en 1991. Había nacido, en términos de violencia social en América Latina, lo que podríamos llamar el "Síndrome Caracazo".

La crisis externa no tardó en tener efecto sobre los precios internos. En el plano formal los índices de febrero habían sido reducidos (9,6% el del costo de vida y 8,4% el de mayoristas), y el gobierno insistía en que "formalmente" la estampida del dólar libre no debía impactar sobre los precios internos. Sin embargo, la mejora en el dólar agropecuario del 25,3% en dicho mes, más el aumento del 59,3% en el dólar libre en el mismo período, la dificultad de obtener dólares para importación y las expectativas de devaluación, habían vuelto a poner en marcha la rueda inflacionaria.

Lo que se había anunciado la semana anterior se confirmó ahora: la UIA y la CAC se retiraron del Comité de Seguimiento de Precios en disconformidad con la Resolución Nº 35 que implicaba limitaciones a los aumentos. De todos modos manifestaron su voluntad de cooperar en lo que fuera posible, aunque dejando en claro que se verían obligados a trasladar a los precios los fuertes incrementos registrados en insumos agropecuarios e importados.

La soledad del equipo económico se hizo más evidente cuando Confederaciones Rurales Argentinas (CRA) decidió un paro agropecuario de tres días para mediados de marzo, y cuando el mismo Angeloz profundizó sus críticas diciendo que "si hay que reemplazar ministros u otros funcionarios por otros que generen mayor confianza, no se debe dudar". El vocero presidencial José Ignacio López debió desmentir explícitamente los rumores de renuncias en el área económica.

QUINTA SEMANA
6/3 al 12/3

- Dólar libre: 38,60 australes - crecimiento en la semana: 17,7%
  - crecimiento en el mes calendario: 36,9%
  - crecimiento desde fines del Plan Primavera (3/2/89): 118,4%
- Dólar agropecuario: 19,86 australes - crecimiento en la semana: 7,4%
  - crecimiento en el mes calendario: 13%
- Dólar especial: 18,96 australes
- Brecha dólar libre / dólar agropecuario: 94,4%
- Tasa de interés call money Banco Privado: 18,91%
- Tasa de interés Interempresario: - 18,44%
- Inflación del mes de marzo (Indice combinado mayorista/minorista): 18,0%
- Máxima oscilación del dólar libre en la semana: 26,5%

Los "espasmos" cambiarios no cesaron. Además de aumentar un 17,7% en estos siete días, el dólar llegó a 42 australes y subió y bajó más del 10% de una jornada a la otra. Esta histeria financiera continuaba pese a tasas pasivas del orden del 17% mensual y activas por encima del 21%.

Al llegar el dólar libre a 32,80 australes a fines de la semana anterior, el dólar agropecuario igualó al especial, y se convalidaba por vía de los mix la devaluación que se había querido evitar afanosamente. Pero había más paradojas. Los exportadores dependían de la entrega de granos de los productores. Si éstos creían que el cronograma de unificación cambiaria se cumpliría, era racional que esperaran para que mes a mes la mejora del mix aumentara sus ingresos. Si, contrariamente, no creían en el cronograma, lo racional era la postergación de las ventas esperando la quiebra del programa por el lado cambiario. Esta lógica contribuía a entender, al menos en parte, lo que sucedía en el mercado cambiario.

A pesar (o a causa) de esta impasse negativa, el presidente Alfonsín y el equipo económico decidieron retomar la iniciativa política, a sabiendas de que la respuesta de los mercados y la comunidad política no sería favorable.

En un discurso pronunciado en la Bolsa de Cereales, Alfonsín hizo definiciones importantes: "No vamos a cambiar el rumbo ni la tripulación. Cuanto antes se comprenda esto se tranquilizarán los mercados y bajará la tasa de interés. Las medidas adoptadas no fueron por capricho ni obsesión sino para preservar reservas y evitar que la especulación incidiera en el nivel de precios. La suba de tasas de interés internacionales nos quita mil millones de dólares anuales. Estamos dispuestos a usar parte de nuestras reservas para cumplir con nuestras obligaciones a condición de que la banca acreedora también ponga lo suyo, de lo contrario las seguiremos usando para atender las importaciones y el crecimiento económico".

Al día siguiente el equipo económico brindó una conferencia de prensa explicando la situación económica y las medidas en marcha. He aquí algunos segmentos significativos de lo dicho:

—"Las declaraciones de Alfonsín no implican una moratoria. Es la ratificación de nuestra política de no pagar más del 50% de los intereses y refinanciar el resto" (Juan V. Sourrouille).

—"Los atrasos en el pago de intereses ascienden a U$S 2.200 millones. Si no conseguimos nuevos fondos del exterior seguiremos atrasando los pagos" (José Luis Machinea).

—"Se habla mucho de una pulseada entre exportadores y el

BCRA. No es así. En marzo esperamos una razonable liquidación de divisas por exportaciones agropecuarias e industriales. Pero tengan en cuenta que el exportador recibe las divisas anticipadamente y las negocia mucho antes del embarque. Lo que se está dando es que el ingreso de divisas fue muy fuerte en el último trimestre de 1988 y las reservas aumentaron considerablemente. Pero ahora influye la sequía disminuyendo la cosecha, lo que implica que el financiamiento que tuvo el sector exportador en su momento no se pueda aplicar a la cosecha que está disponible. Las divisas que no entran hoy ya entraron a fines del 88" (Machinea).

—"La incertidumbre por las elecciones dificulta las negociaciones por la deuda, como así también el aumento de la tasa de interés internacional" (Machinea).

—"Es cierto que el Banco Mundial ha demorado en su disponibilidad algunos préstamos vinculados a acuerdos anteriores. Pero asimismo ha declarado efectivos otros préstamos por U$S 420 millones para la construcción de viviendas y el apoyo a gobiernos municipales" (Sourrouille).

—"Se mantiene la política cambiaria en vigencia y se seguirá manteniendo tanto en los horizontes temporales en que se definen las mezclas del tipo de cambio como en lo que concierne a la tasa de devaluación (7%) para este mes y para los meses siguientes, en que la pauta se definirá en función de la inflación que se vaya registrando" (Sourrouille).

—"Se mantiene la política de precios administrados, donde se registran los costos y sus variaciones. La Secretaría de Comercio Interior ya ha hecho acuerdos con un número muy importante de sectores de la economía nacional, ninguno de los cuales implica aumentos que pasen la barrera de los dos dígitos para los próximos treinta días. En conjunción con la política cambiaria y de tarifas públicas es que no esperamos modificaciones sustantivas en materia de política de precios" (Sourrouille).

—"¿Por qué a pesar de las críticas seguimos en esta línea?

Hoy, por muy diversas razones, se han exacerbado algunos de los conflictos que están en la sociedad. Vale la pena colegir cuál es la posición legítima de los representantes de intereses sectoriales, que tratan de mejorar su posición, pero también es legítimo reconocer que la función del gobierno es arbitrar. ¿O es que alguien ignora en este país que si hacemos una devaluación esto trae como consecuencia una brusca disminución del salario real? Por eso el diseño de la política cambiaria que hicimos en febrero pretende conciliar intereses. Mejorar, sí, en la medida de lo posible, el ingreso de los exportadores, pero cuidando el ingreso de la población" (Sourrouille).

—"Hoy tenemos por delante una situación de incertidumbre, de dificultades. A esto el gobierno nacional dice que la situación sigue estando bajo control, que la política que llevamos adelante es la más conveniente, que la inflación no se ha ido de las manos durante febrero pese a las dificultades, y que la continuidad de estas políticas permitirá pasar los meses que sigan en un marco de certidumbre" (Sourrouille).

—"Una última referencia en relación a lo sucedido en Venezuela. Estoy profundamente consternado porque ha muerto gente, aparentemente, como resultado de la discusión de la política económica. Venezuela inició una gestión con el FMI, y entiendo que ha llegado a un acuerdo tomando como base sus intereses. Porque ni yo ni nadie que conozca ha firmado un acuerdo sin cubrir los intereses de sus países. Pero quiero hacer una observación: yo no creo en los programas del FMI tal cual han sido concebidos tradicionalmente. Sí creo en la combinación de políticas ortodoxas con políticas de ingresos. Nosotros sentamos un precedente en ese sentido con el Plan Austral. No podemos pensar en función de la política cambiaria o fiscal, porque la economía es una ciencia social y sigue siendo algo que tiene que ver con la vida cotidiana" (Sourrouille).

Las reacciones económicas y políticas no pudieron ser peores.

En los días siguientes a la conferencia de prensa el dólar libre aumentó un 25% hasta 41,50 australes, para luego caer hasta 38,60 australes a fines de la semana. También cayó la paridad de los títulos públicos y volvió a subir la tasa de interés activa. La brecha entre el dólar libre y el comercial llegó a 180%, y entre el dólar libre y el dólar agropecuario a 106%. El sistema se había transformado en un fuerte subsidio a las importaciones para neutralizar la inflación.

Esta respuesta de los mercados fue acompañada por reacciones equivalentes de los políticos. Curia (PJ) dijo que el equipo económico tenía un extraordinario déficit de credibilidad, coincidiendo con Alsogaray (UCD). Corzo (PJ) fue más pintoresco: según él, el equipo económico no sólo no estaba a la altura profesional e intelectual para resolver la crisis, sino que además parecía vivir en un frasco de mayonesa. Legerén (CRA) usó otras palabras para expresar la misma idea: "El equipo económico vive en la estratósfera". Finalmente, Cavallo (PJ) fue más preciso: "Es posible que se produzca un total descontrol de la inflación por la escalada del dólar. Si no se toman medidas urgentes los argentinos repudiarán el austral y comprarán todos los dólares que consigan. Cuando el dólar esté extraordinariamente alto, los australes se volcarán a los bienes y se producirá una explosión inflacionaria".

El jueves 9 Alfonsín volvió a insistir en su interpretación de la situación como el resultado de disputas entre grupos de poder. En un discurso pronunciado en la Asamblea Nacional de las Economías Regionales dijo: "El gobierno no va a flaquear ante los intereses de los muy poderosos que se resisten a que los privilegios desaparezcan, o que no terminan de convencerse de que por más legítimas que sean sus demandas siempre serán menos importantes para nosotros que el bienestar del conjunto de la sociedad".

Pero la convulsión económica se empieza a trasladar rápidamente a los precios. Desde principios de febrero algunos insumos plásticos habían aumentado un 23% durante marzo y algunos granos hasta un 43% en el mismo período. Con un dólar que se movía hasta un 14% de un día para el otro, el mercado se cubría con márgenes crecientes. A fines de la semana algunas terminales automotrices decidieron suspender parcialmente la entrega de unidades a concesionarios. A esa altura, el precio de los autos en dólares había caído un 45% desde el 6 de febrero.

En su desmentida semanal de renuncias, José Ignacio López no sólo debió incluir a Sourrouille y su equipo, sino también al propio presidente Alfonsín.

Pero observando el resto de la situación latinoamericana en esos días, la Argentina no parecía tan singular. En Venezuela se volvía lentamente a la normalidad, aunque las fuerzas armadas continuarían como "garantes de la paz y la tranquilidad", especialmente en algunas zonas de Caracas. El saldo oficial de los disturbios alcanzaba a 260 muertos y 2.000 heridos. Honduras rechazaba un paquete de medidas del FMI similares a las que en Venezuela habían causado la ola de violencia. El Banco Central de este país detuvo todos los pagos hasta no llegar a un acuerdo satisfactorio con el Fondo. Este organismo proponía un plan para reducir el déficit fiscal, aumentar los impuestos, aumentar las tasas de interés, aumentar las tarifas públicas y devaluar la moneda.

En México, el gobierno anunciaba a sus acreedores que el costo social de los programas de ajuste destinados a garantizar el servicio de su deuda (U$S 106.000 millones) era "inaceptable e insostenible". En un comunicado dirigido a la comunidad financiera internacional, afirmaba que los esfuerzos realizados por el país desde la crisis de la deuda de 1982, no habían sido igualados por ningún otro: las transferencias netas al exterior determinaron un crecimiento promedio de cero, una caída del PBI per cápita del 15/20%, una caída del salario real del 50% y un déficit de cinco millones de empleos. El comunicado planteaba la necesidad de volver a crecer a una tasa mínima del 4,5% anual, y reducir las transferencias al exterior del 6% al 1,5/2% del PBI. A cambio de esta solicitud, México se comprometía a mantener la apertura de la economía, liberalizar más el tratamiento de la inversión extranjera y continuar con las privatizaciones.

SEXTA SEMANA
13/3 al 19/3

- Dólar libre: 42,20 australes - crecimiento en la semana: 9,3%
  - crecimiento en el mes calendario: 49,6%
  - crecimiento desde fines del Plan Primavera (3/2/89): 138,8%
- Dólar agropecuario: 20,78 australes - crecimiento en la semana: 4,6%
  - crecimiento en el mes calendario: 49,6%
- Dólar especial: 19,28 australes
- Brecha dólar libre / dólar agropecuario: 103,1%
- Tasa de interés call money Banco Privado: 23,67%
- Tasa de interés Interempresario: - 21,27%
- Inflación del mes de marzo (Indice combinado mayorista/minorista): 18,0%
- Máxima oscilación del dólar libre en la semana: 11,4%

Con respecto al último día hábil de la semana anterior, el dólar creció en ésta "sólo" un 9,3%, acumulando un 49,6% en el mes, y con picos de hasta 8,8% en un solo día, lo que desmoronaba cualquier expectativa de una mínima estabilidad. El nivel del dólar agropecuario siguió durante la semana más alto que el del dólar especial.

El BCRA insistía con los títulos dolarizados para obtener fondos para la Tesorería: se lanzaron letras ajustables por dólar a 180 y 210 días de plazo, que se vendían un 35% sobre la par por la expectativa de devaluación. Para neutralizar el deterioro fiscal, explicado fundamentalmente por la caída de los ingresos, el gobierno recurría a títulos cada vez más onerosos y de plazos más cortos, que complicarían en un breve lapso el déficit cuasifiscal.

Entre el lunes 13 y el miércoles 15 se realizó el paro agropecuario organizado por Confederaciones Rurales Argentinas, con un alto índice de acatamiento. La oportunidad sirvió para lanzar nuevas críticas a la política económica del gobierno, a las que el secretario de Agricultura Figueras repuso que el objetivo de la medida de fuerza era aumentar el precio de la hacienda. Simultáneamente publicó un informe según el cual los ingresos que percibían en marzo los exportadores de trigo, maíz, soja y carne vacuna eran los mayores en lo que había transcurrido de la década.

Durante esta semana se produjo el punto más alto del shock de ventas que siguió a la escalada del dólar. Los propios comerciantes admitían que el abastecimiento era mejor negocio que el plazo fijo, y era común ver los carritos de los supermercados salir abarrotados de alimentos no perecederos, como así también detectar compras inusitadas de muebles, electrodomésticos, autos, etc., ante la caída de los precios en dólares.

El salto de los precios no se hizo esperar, y se manifestó también en la industria. Desde el 1 de febrero hubo aumentos en los insumos químicos, metal-mecánicos, metalúrgicos y para la indumentaria, del orden del 35/40%. Durante marzo, el poliéster había aumentado un 25%, el aglomerado de madera 20% y la chapa de hierro un 18%. En la segunda semana, los precios al consumidor se proyectaban a 14,7% para todo el mes. Sin embargo, dentro del rubro alimentos y bebidas se registraban aumentos del 28,7% en Cereales y Embutidos, del 21,8% en Lácteos y

Huevos y del 21,9% en Pescados y Mariscos.

	Valor Promedio en marzo (en australes ctes.)	Crecimiento en el mes %	
Pan Francés (kg)	15,39	18,6	
Filet merluza (kg)	43,92	41,9	(1)
Huevos Doc.	28,85	47,9	
Gaseosa (Litro)	10,27	11,8	
Leche (Litro)	7,34	16,4	

Una de las preguntas más formuladas y menos contestadas, por falta de información oficial, era el nivel de reservas disponibles del BCRA a mediados de marzo. Se suponía que por efecto combinado de la caída de depósitos, la amortización de los Bonex y los egresos por importaciones, se acercaban al nivel crítico de los U$S 1.000 millones, y esta suposición estaba fuertemente sustentada por las permanentes postergaciones del BCRA para efectivizar el pago de importaciones previamente financiado. Este nivel de reservas, suficientes apenas para dos o tres meses de funcionamiento económico, era uno de los indicadores más perturbadores del mercado cambiario en esos días.

En esas horas de confusión financiera, Roberto Alemann tenía tiempo de volver a defender el mercado único de cambios. Ante una pregunta sobre lo que podía pasar de aplicarse el mercado único de cambios, contestó: "No pasa nada. Yo lo hice en el 81 y la inflación bajó, aumentamos las reservas, pagamos deuda, etc.". De éstas y otras declaraciones semejantes, que seguramente no contribuían a la estabilidad, se quejaba el secretario de Hacienda Mario Brodersohn: "El comportamiento de precios y mercados se

(1) **Fuente:** Fundación Mediterránea.

ve influenciado por declaraciones fantasiosas de Menem y de sectores rurales que empujan para producir un Rodrigazo. El diputado Pierri (PJ) llegó a proponer un blanqueo gratuito, ¿Cómo vamos a cobrar impuestos en estas circunstancias?".

Desde el exterior, las ilusiones por el lanzamiento del Plan Brady se disipaban rápidamente. El Plan Brady, que planteaba la posibilidad de reducción de la deuda a cambio de sólidas garantías del monto remanente y de duros planes de ajuste supervisados por el FMI, no aclaraba quién aportaría los necesarios "fondos frescos", y parecía en este sentido tener que superar los obstáculos en los que había encallado el Plan Baker. Por si todavía quedaban dudas, David Mulford, subsecretario del Tesoro de los EE.UU. fue más preciso: "Venezuela y México serán los primeros beneficiados con una reducción de sus deudas. Argentina, que tuvo resultados tan negativos como Perú en su economía, está descalificada".

En Brasil, una huelga general contra el Plan Verano, que según las centrales obreras implicaba reducir los salarios entre un 41 y un 49%, dejaba un saldo de graves disturbios y doscientos heridos. Los saqueos sólo pudieron evitarse con un impresionante despliegué de las fuerzs de seguridad.

SEPTIMA SEMANA
20/3 al 26/3

- Dólar libre: 41,50 australes - crecimiento en la semana: - 1,7%
  - crecimiento mes calendario: 47,2%
  - crecimiento desde fines del Plan Primavera (3/2/89): 134,9%
- Dólar agropecuario: 20,75 australes - crecimiento en la semana: 0,1%
  - crecimiento en el mes calendario: 18,8%
- Dólar especial: 19,45 australes
- Brecha dólar libre / dólar agropecuario: 100,00%
- Tasa de interés call money Banco Privado: 23,19%
- Tasa de interés Interempresario: 22,22%
- Inflación del mes de marzo: (Indice combinado mayorista/minorista): 18,0%
- Máxima oscilación del dólar libre en la semana: - 4,0%

En términos de estabilidad cambiaria, esta semana (que fue la Semana Santa, con sólo tres días hábiles) fue la más tranquila de la última etapa de Sourrouille. El dólar libre no sólo no subió sino que tuvo un leve descenso. La contracara de esta tranquilidad fue la consolidación de la suba de las tasas de interés iniciada a fin de la semana anterior. Se llegó a pagar rendimientos del 25% a los grandes inversores.

Las versiones de unificación cambiaria volvieron a hacerse fuertes, como también su defensa ideológico-teórica. La Federación de Consejos Profesionales en Ciencias Económicas realizó una encendida defensa de la unificación. Con menor fundamento teórico, un "banquero" de la sección "Diálogos" de *Ambito Financiero* aseguraba que la unificación era la propuesta de Roberto Alemann y Adalbert Krieger Vasena a Angeloz. Cavallo aseguraba que el mercado único de cambios era el mejor camino para solucionar las maniobras de sobre y sub-facturación en el comercio exterior. Por si faltaba redondear las ideas, *Ambito Financiero* expresaba: "El dólar cayó por los rumores de unificación cambiaria y por las altas tasas de interés. Pero las versiones no son meros caprichos, sino que están alimentadas por la creencia de que serán necesarias urgentes medidas para encauzar la economía".

En la tercera semana de marzo, la estimación de la inflación mensual ascendía a 17,5%. El rubro Alimentos y Bebidas había crecido un 22,9%, impulsado por Carnes, Embutidos y Fiambres (31,8%), Pescados y Mariscos (45,2%) y Cereales y Derivados (29,5%).

Para citar dos ejemplos, el aceite (que en envasc dc litro y medio costaba 26,63 australes) completaría en el mes un aumento de 26,4%, y el café (15,61 australes en envase de 250 gr.) aumentaba un 27,3%. Téngase en cuenta que el índice de precios al consumidor concluiría el mes con una suba de 17%.

Pese a las vicisitudes, económicas de esos días, para el periodista Guillermo Kohan el equipo económico de Angeloz ofrecía a los empresarios "más garantías que el de Menem" (según el juicio de los propios empresarios):

"Los empresarios perciben una ventaja del radicalismo sobre el peronismo cuando concurren a reuniones con los entornos económicos de Angeloz y Menem. El martes 21, Troccoli, Yofre y Mezzadri recibieron a importantes empresarios, y no quedaban dudas de que Mezzadri es quien coordina el prolijo equipo económico donde también participan López Murphy, Sturzenegger y Gerchunoff. Diferente es la impresión cuando concurren a los almuerzos que organiza el Grupo de los 15 con Bauzá o Curia, o cuando concurren a debates como el de la Deuda Externa organizado por los renovadores con exclusión expresa de Cavallo. En un almuerzo en la Asociación de Industriales Textiles (ADITA), López Murphy prometió una enérgica privatización de las empresas del Estado, la transferencia de actividades a provincias y municipios, la actualización de las tarifas públicas para que incluyan el costo de la inversión, la desregulación de la economía y la apertura con sesgo exportador."

La semana se cerraba con la información del valor de los títulos de la deuda pública latinoamericana en Nueva York: Chile 59-61 centavos, Colombia 58-60 centavos, México 36-37 centavos, Brasil 31-33 centavos, Argentina 17-18 centavos, y Perú 5-8 centavos.

OCTAVA (y última) SEMANA
27/3 al 31/3

- Dólar libre: 48,50 australes - crecimiento en la semana: 16,9%
  - crecimiento en el mes calendario: 72,0%
  - crecimiento desde fines del Plan Primavera (3/2/89): 174,5%
- Dólar agropecuario: 22,36 australes - crecimiento en la semana: 7,7%
  - crecimiento en el mes calendario: 28,1%
- Dólar especial: 19,78 australes
- Brecha dólar libre / dólar agropecuario: 117%
- Tasa de interés call money Banco Privado: 25,61%
- Tasa de interés Interempresario: 24,16%
- Inflación del mes de marzo (Indice combinado mayorista/minorista): 18,0%
- Máxima oscilación del dólar libre en la semana: 19,5%

Terminada Semana Santa volvió el frenesí cambiario, y esta vez Sourrouille no lo resistiría. El dólar subió en tres días un 19,5% (4,8% el lunes, 6,2% el martes y 7,4% el miércoles), rozando los 51 australes y acumulando un crecimiento del 75,9% en el mes. Era demasiado.

Sobre este trasfondo se difundieron versiones alarmantes de la crisis fiscal. La Unión Argentina de Proveedores del Estado amenzaba con suspender las entregas en razón de que las deudas ascendían a U$S 600 millones. ENTel debía 2.000 millones de australes, SEGBA 1.000 millones de australes, y algunas dependencias llevaban trescientos días sin pagar. El shock de ventas de la segunda y tercera semana de marzo había cesado, pero los precios mostraban síntomas de descontrol. La carne subía en el mercado de Liniers un 8% en un día, y los precios mayoristas agropecuarios un 33,4% respecto de febrero.

El arrastre inflacionario mínimo para abril se preveía un 8%. El Centro de Almaceneros de la Capital Federal estimaba en 50% el aumento en marzo del precio de los comestibles que integran la canasta familiar.

Los salarios comenzaban a sufrir el deterioro que se agudizaría en meses subsiguientes. El cuadro siguiente es ilustrativo:

Minutos de trabajo necesarios para adquirir determinados productos(1)

PRODUCTOS	MINUTOS		VAR. PORCENT.
	Dic. 88	Mar. 89	
PAN	27'	32'	18,5%
HARINA	13'	23'	77,0%
HUEVOS	36'	51'	41,7%
AZUCAR	32'	40'	25,0%

El miércoles 29 de marzo, Alfonsín hizo el último esfuerzo por preservar a su ministro de Economía. Concurrió a un pantagruélico asado en casa de Savanti (IBM) con veinte líderes de las mayores empresas. Entre otros, Montagna, Camboa (Alpargatas), Gurmendi (San Sebastián) y Kuhl. Les pidió comprometerse en un acuerdo de precios, especialmente a las empresas del sector alimentario. Bonvecchi, secretario de Comercio Interior, más

(1) **Fuente**: INDEC y UADE.

específico, sugirió una pauta del 11% para abril. Los empresarios, con cortesía pero con firmeza, descartaron un acuerdo a nivel de entidades, aunque no los acuerdos individuales con empresas. Además, advirtieron que la inflación ya estaba lanzada, porque los distribuidores estaban vendiendo con un 30% de recargo sobre los precios de fábrica. Los hombres de empresa terminaron esa noche con los objetivos cumplidos: no comprometerse con el gobierno y despejar el fantasma del congelamiento. Esa noche terminaban también los últimos sueños de Sourrouille de remontar la situación.

El correlato a nivel de los medios de difusión (cuestionamientos técnicos, críticas políticas, predicciones, quejas, pronunciamientos) del desorden que se vivía en el mercado cambiario en la última semana de marzo, permite apreciar el aislamiento (pese a Alfonsín) y la disolución de todo poder que pudiese haber conservado a esa altura el ministro Sourrouille.

El lunes 27, Sturzenegger, a quien se mencionaba como probable ministro de Economía de Angeloz, se pronunció en favor de un tipo de cambio único y flotante, asegurando que "la actual política económica debe cambiar después del 14 de mayo, pues hay un retraso de variables". Ese mismo día, el tesorero de la UCeDé, Ricardo Zinn, lanzaba un fuerte ataque contra Angeloz: "El gobernador de Córdoba sufre una profunda metamorfosis. De adherente a la declaración de Avellaneda, de inspiración socialista y nacionalista, de admirador de la revolución cubana, y luego de instalar la legislación corporativista en Córdoba, utiliza ahora, según la circunstancia, un discurso privatista, no corporativo, limitador de la función del Estado. Para ello debió definirse como pragmático. Sus propuestas no obedecen a una convicción o filosofía sino a la conveniencia. Por ahora, a la conveniencia electoral".

El martes 28, a partir de la suba del precio de la carne y del dólar libre, y de la difusión de las cifras sobre los atrasos financieros del Estado, *Ambito Financiero* titula "Recesión violenta de la economía luego de Semana Santa". Y editorializa: "El panorama económico al reanudarse las actividades en el país muestra con dramatismo las expectativas adversas con que el país y sus ciudadanos entran en los últimos cuarenta y ocho días previos a las cruciales elecciones. Un país donde las fantasías y las demagogias predominan en el discurso político (del salariazo de Menem al millón de viviendas de Angeloz) y que sólo puede mostrar este clima económico-financiero caótico en vísperas de elegir su próximo mandatario".

De la Fuente también se pronunció sobre el momento económico: "La situación sigue empeorando, con un grado de incertidumbre creciente. El descontrol de las variables es tan grande que cualquier cosa que se disponga no asegura ninguna previsibilidad en materia económica".

En el plano estrictamente político, la figura de Menem (quien había realizado un espectacular acto en Córdoba unos días antes) parecía tomar ventaja sobre Angeloz. Según una encuesta de Mora y Araujo, el Frejupo ganaba con colegio electoral propio y según otro trabajo de AyC, la ventaja de Menem sobre Angeloz había crecido de 8,5% en febrero a 9,6% en marzo.

El miércoles 29, mientras Alfonsín se reunía con empresarios en busca de un acuerdo de precios, Angeloz declaraba que podría ser la oportunidad de un relevo en el equipo económico, pero que la decisión era del presidente Alfonsín.

El jueves 30, Angeloz creyó necesario efectuar aclaraciones: "El equipo económico ha demostrado inacapacidad para controlar el mercado cambiario. Es lamentable que el dólar haya llegado a 51 australes y que no se hayan efectuado todos los controles y ajustes necesarios para que la divisa no se escape".

En opinión de *Ambito Financiero*, Sourrouille estaba "superado por las circunstancias".

Roberto Alemann afirmó: "Dos de cada tres argentinos vivimos una fiesta financiada por el déficit fiscal. Hay ya un faltante de caja del 40%; cuando se avance un poco más será el fin de fiesta con una brusca corrección cambiaria y fiscal". Alvaro Alsogaray acusaba al gobierno de ocultar cifras ilegalmente al no publicar los balances del BCRA desde el 14 de setiembre. El ingeniero liberal, ante la pregunta de qué le recomendaría a un ahorrista con cinco mil dólares, respondía: "No le puedo decir, porque lo que es bueno para el ahorrista es malo para el país".

Ese penúltimo día del equipo económico, también los analistas económicos hicieron su contribució.. con afirmaciones del siguiente tipo: "El desequilibrio fiscal, la crisis de pagos externos y el atraso tarifario hacen que todos los operadores descuenten un futuro escenario con un tipo de cambio necesariamente muy alto, en conclusión, nadie vende, y los que pueden, compran dólares". "El BCRA va a tener que modificar el esquema cambiario por la pérdida de reservas. Como una maxidevaluación probablemente no mejoraría ni las reservas ni la brecha cambiaria, los acontecimientos están forzando una aceleración de la liberación cambiaria. Cuando más se demore, la flotación cambiaria será más 'limpia', no por convicción del BCRA sino por su imposibilidad de intervenir, y el nivel final será mayor".

En sus últimas horas de gestión, Machinea debió desmentir versiones radiales de congelamientos de depósitos en dólares y de feriado cambiario, y aceptó subir las tasas de interés uno o dos puntos mensuales.

El viernes 31, la versión de la renuncia de Sourrouille y su equipo de colaboradores no fue desmentida. Con la designación de Juan Carlos Pugliese como nuevo ministro de Economía comenzaba una nueva etapa.

¿POR QUE?

¿Gigantesca conspiración, o efecto combinado de la sequía, la prefinanciación y la incertidumbre? ¿Maquiavélica y programada operación para aniquilar al alfonsinismo y condicionar a Menem, o empresarios y particulares guiados simplemente por sus intereses pecuniarios? ¿Retención de granos (productores) y de dólares (exportadores)?

Cualquier interpretación que pueda hacerse de esta etapa estará teñido por las hipótesis a priori sobre la importancia relativa de cada uno de los fenómenos que contribuyeron a que la situación (específicamente la cambiaria) tuviese el desarrollo que finalmente tuvo. De modo que las interpretaciones podrían agruparse en dos rubros:

1) las "conspirativistas": hubo una conspiración de la corporación exportadora para mejorar su situación relativa.

2) las "naif": prácticamente no había divisas para liquidar, y el reducido remanente no fue volcado al mercado por la enorme incertidumbre.

También podría plantearse una tercera posibilidad: la "realista". Personas y corporaciones actúan fundamentalmente siguiendo sus intereses de corto plazo; cada uno hace lo que le conviene dejando en segundo plano la consideración del interés del conjunto.

Lo útil de esta última interpretación es que nos permite poner al costado el análisis cuantitativo de ¿cuánta sequía?, ¿cuánta conspiración?, ¿cuánta prefinanciación?, ¿cuántos dólares en los colchones?, y nos lleva a las preguntas sobre los errores en la política económica del gobierno. Porque más allá de las mediciones más o menos precisas, lo cierto es que hubo "un poco de todo".

Hubo sequía.

Hubo fuerte prefinanciación.

Hubo retención de divisas (en la primera semana de Menem se liquidaron U$S 600 millones).

Hubo retención de granos (el acopio de granos era en marzo del 89 el doble que en años anteriores, según datos de Fiel en base a información de la Junta Nacional de Granos).

Hubo declaraciones explícitas de los candidatos sobre devaluación después de las elecciones.

Hubo dificultades en la negociación externa.

Hubo malestar social y político por la crisis energética, Villa Martelli y La Tablada.

Hubo un mercado de futuro muy bicicleteado y retraso cambiario.

¿Pero cuál es la responsabilidad de un gobierno para que la dinámica de estos hechos imprevisibles, o más o menos previsibles, se encaminara a un verdadero desastre económico? En un punto esa responsabilidad es muy fuerte: en la distorsión de los precios relativos. Este punto, y no el supuesto despilfarro de divisas, fue el peor error de la política económica desde agosto del 88 en adelante. Al atrasar el tipo de cambio, el equipo económico se fue haciendo rehén de su propio plan, y minando las bases de su propio poder. Se iba poniendo en situación de que los particulares y las corporaciones, actuando simplemente "según sus propios intereses", produjeran un total descontrol de la economía.

Expresado en términos muy esquemáticos, lo que en una economía no distorsionada no produce daño (como por ejemplo "guardarse los dólares porque va a aumentar su precio relativo"), en la economía argentina a partir de enero producía un desajuste que realimentaba la decisión de "guardarse los dólares". El gobierno no había diseñado mecanismos compensatorios para esa situación: no tenía reservas sólidas, no había concretado el apoyo externo, no tenía medios para "convencer" a la economía de que no cambiara su portafolio. En síntesis, en este punto importa menos la motivación de personas y corporaciones actuando según sus propios intereses de corto plazo que las acciones del gobierno que lo llevaron a ponerse en la situación en que un sector de la sociedad, actuando según sus propios intereses (de corto plazo, pecuniarios o lo que se quiera) enloquece a la economía y termina apropiándose de una parte mayor de la renta que la que poseía en la situación inicial.

Pero el análisis no sería completo si no mencionara la influencia que sobre el mercado cambiario produjo la proximidad de un acto elcccionario para el cual las encuestas daban como claro favorito al candidato justicialista, Carlos S. Menem. Si bien éste había hecho algunas afirmaciones buscando seducir al mundo de los negocios (habló de un dólar único y alto), no dejó de anunciar simultáneamente un "salariazo" y la "revolución productiva", como tampoco descartó su afinidad con propuestas de la CGT que incluían una moratoria de la deuda externa. Este discurso zigzagueante (porque para muchos operadores económicos no era compatible un dólar alto con el salariazo, tampoco un mercado estable con una moratoria de la deuda y menos una revolución productiva con un modelo decididamente exportador), unido a la tradición del peronismo en materia de controles cambiarios y al propio perfil populista de los hombres más próximos a Menem (excepción hecha de amistades recientes como Domingo Cavallo o Julio Ramos), jugó un significativo papel en el descontrol del mercado de cambios a 90 días del acto eleccionario.

Si Menem hubiese anunciado antes del 14 de mayo el contenido real de su programa de gobierno, hubiese contribuido a tranquilizar a decisivos operadores de la economía, pero probablemente hubiese comprometido su triunfo. Prefirió mantenerse en la ambigüedad para sumar votos de los sectores más diversos, estrategia que fue efectiva para ganar las elecciones, pero cuyos costos debería asumir una vez en el poder.

CAPITULO TRES

Las Siete Semanas y Media de Pugliese

Del 3 de abril al 24 de mayo de 1989

La permanencia algo más allá de lo explicable del equipo económico presidido por Sourrouille terminó creando una ilusión: su reemplazo provocaría un aquietamiento de las aguas y un regreso mágico a la estabilidad. Las críticas habían sido tan personalizadas, el repudio a su modus operandi tan fuerte, tanta responsabilidad se le había adjudicado a él y a sus secretarios por los desórdenes recientes, que la sola eliminación del ministro parecía suficiente para empezar una nueva etapa. Y sin embargo, las siete semanas y media que duró la gestión de su sucesor, el veterano político Juan Carlos Pugliese, fueron un período de convulsión que hizo añorar el pasado.

Pugliese ensayó tres reformas cambiarias, la última de ellas complementada con otras medidas que podían considerarse un pequeño plan económico. Las sucesivas reformas fueron:

Pugliese I: Dólar Mix sin retenciones.
Pugliese II: Dólar libre con retenciones móviles.
Pugliese III: Dólar libre con retenciones fijas.

Veremos a continuación cada uno de estos tres conjuntos de medidas, los tres devorados en tiempo récord no sólo por sus propias limitaciones técnicas sino también por los estrechos márgenes de poder y credibilidad del gobierno y por la incertidumbre que originaba la proximidad de las elecciones presidenciales.

PUGLIESE I: DOS SEMANAS DE DOLAR MIX SIN RETENCIONES

En el comunicado de despedida, el equipo económico de Sourrouille insistió en responsabilizar de su fracaso a la "falta de una mayoría política y social capaz de movilizar el poder suficiente para neutralizar la resistencia de los intereses creados, que obstaculizó las tareas de reforma económica y de estabilización". Esta argumentación remitía a una polémica que crecería en la escena política y económica de los meses siguientes: ¿cómo debía convivir el Estado con las corporaciones? ¿Confrontación, negociación o alianza?

Sin embargo, la realidad de esos días no dejaba demasiado espacio para la reflexión, y a la renuncia de Sourrouille el viernes 31 de marzo le siguieron tres días de intensos contactos del nuevo ministro de Economía con las corporaciones empresarias, como paso previo al lanzamiento de nuevas medidas.

El sábado 1º de abril, Pugliese se reunió con las cúpulas de la UIA y la CAC en la casa del secretario de Industria, Murat Eurnekian. Representaron a los empresarios en la oportunidad, Montagna, Massuh (de la papelera del mismo nombre) y Favelevic (vinculado al sector textil a través de Gotuzzo S.A.) por la UIA, y De La Vega y Savanti por la CAC. Pese a que el nuevo ministro dijo que sólo había ido "a escuchar", trascendió que había sondeado la posibilidad de lograr un acuerdo de precios.

El domingo 2 de abril, Pugliese compartió más de una hora con los líderes de las organizaciones rurales Alchourrón, Gassoni, Legerén y Boneto (en reemplazo de Volando). El tema central del encuentro fue, por supuesto, el esquema cambiario. Al concluir la reunión, los dirigentes se preocuparon por remarcar dos hechos. En primer lugar, notaban un cambio de actitud del gobierno (contrastando con Sourrouille) ya que el nuevo ministro les había prometido un "diálogo fluido e información anticipada de las decisiones". En segundo lugar, insistían en la necesaria reunificación cambiaria, ya que "el desdoblamiento era la causa de la actual crisis". Pugliese se limitó a comentar que reconocía que la unificación era la inquietud del ambiente, pero que la decisión la conocerían el martes 4.

Para no olvidarse del sector financiero, y cumpliendo formalmente con la pequeña y mediana industria, el flamante ministro recibió el lunes a dirigentes de la Bolsa de Comercio, ADEBA y la CGI, junto con los de los UIA y la CAC, y comunicó las nuevas medidas.

Esencialmente, se insistía en utilizar el mix para el esquema cambiario. Quedaron definidos un dólar oficial (cuya cotización inicial fue de 20 australes) y un dólar libre, y no habría retenciones. Todas las exportaciones y prácticamente la totalidad de las importaciones se liquidarían en un 50% por el dólar oficial y en un 50% por el dólar libre. De mantenerse este último en 40 australes, el nuevo esquema implicaba devaluaciones del 23,3% para las exportaciones industriales, del 34,2% para las exportaciones agropecuarias y del 51,7% para las importaciones. Asimismo, se determinaban plazos mínimos de 90, 180 y 365 días para la liquidación de importaciones.

Se asumía el compromiso oficial de pagar los depósitos en dólares y los títulos de la deuda pública interna y externa. En el plano monetario se anunció el mantenimiento de una política restrictiva y la creación de depósitos indexados por dólar para el público en general, e indexados por el precio de los granos para los productores agropecuarios. Este último depósito era diseñado como un nuevo estímulo para que los productores rurales se desprendieran de las divisas que tuviesen, ya que les garantizaba respaldo frente al aumento en el precio de su producto que pudiera producirse por una eventual devaluación.

Pese a la gravedad de la situación del sector fiscal, no se

anunciaban medidas adicionales al aumento de tarifas dispuesto por Sourrouille en el último día de su gestión, del orden del 9%, por cierto ínfimo frente a una inflación proyectada en el 20% por lo menos.

Con este conjunto mínimo de medidas, confiando en su "muñeca" política y recordando los "viejos buenos tiempos" en que, bajo la presidencia de Illia, la economía se comportaba de acuerdo a lo que decían los libros de texto, Juan Carlos Pugliese inició su gestión.

PRIMERA SEMANA
3/4 al 9/4

- Dólar libre: 48,50 australes
  - Crecimiento en la semana: sin cambios
  - Crecimiento desde el comienzo del mes calendario: sin cambios
  - Crecimiento desde fines del Plan Primavera (3/2/89): 174,5%
- Dólar agropecuario: 34,33 australes
  - Crecimiento en la semana: 53,5%
  - Crecimiento desde el comienzo del mes calendario: 53,5%
- Dólar importaciones: 34,33 australes
- Brecha dólar libre / dólar agropecuario: 41,3%
- Tasa de interés call money Banco Privado: 32,11% mensual
- Tasa de interés Interempresario: 33,13% mensual
- Inflación del mes de abril (Indice combinado mayorista/minorista): 45,7%
- Máxima oscilación del dólar libre en la semana comparando valores de cierre: 1,01%

La designación de Pugliese había sido recibida favorablemente por políticos y algunos economistas. Carlos Menem ponderó sus condiciones personales y políticas. Eduardo Angeloz creía ver que se abrían nuevas expectativas. Roberto Alemann afirmó que "su sola presencia es una garantía de prudencia y confianza" y que "cualquier cosa que haga hasta mayo, por su experiencia y personalidad, calmará los ánimos de la economía e inspirará confianza para encaminarnos hacia la normalidad". Y Domingo Cavallo aseguró: "Es el hombre indicado, pero que no se esperen milagros".

Esta buena receptividad política de Pugliese, más la fuerte baja del dólar el viernes 31 al conocerse la renuncia de Sourrouille, hicieron creer, apenas por unas horas, que si el dólar se estabilizaba alrededor de 40 australes el gobierno tal vez podría alcanzar algún acuerdo de precios de corto plazo. Pero el favorable eco obtenido por el nuevo ministro en el plano político no permitía soslayar los fuertes cuestionamientos técnicos que recibieron las medidas a sólo horas de ser lanzadas.

Desde el análisis económico de coyuntura, se mostraba especial preocupación por la situación fiscal, financiera y del sector externo. Sin cerrar el déficit fiscal, el plan parecía una misión imposible. La Tesorería estaba endeudada a tasas de hasta el 120% anual en dólares libres como resultado del alud de bonos lanzados para contener al dólar, el BCRA financiaba con emisión 5.000 millones de australes mensuales a la Tesorería y las tarifas tenían un atraso mínimo del 20%. En el sector financiero, de los 297.000 millones de australes en depósitos, 220.000 millones los captaba el BCRA en encajes e indisponibles que habían generado intereses por 45.000 millones en el mes de marzo.

En cuanto al sector externo, se estimaba que el BCRA tenía menos reservas que el stock de depósitos en dólares de particulares en los bancos comerciales. A esto se agregaban importaciones impagas por alrededor de U$S 600 millones y los U$S 2.200 millones en intereses adeudados con el exterior. Con el nuevo esquema cambiario, se enviaban más importaciones que exportaciones al mercado libre ya que, con un esquema de flotación a la vista, ¿quién liquidaría divisas? Estos cuestionamientos agitaban los mercados en los primeros días del plan.

Analistas vinculados con el sector agropecuario insistían asimismo en que, si la devaluación se hacía esperando una importante liquidación de divisas, el equipo económico cometía su primer error. "No hay divisas para liquidar por el ingreso anticipado en forma de prefinanciación. Pero esta operatoria ha fallado, porque la cosecha resultará entre diez y doce millones de toneladas menor a lo esperado en agosto del 88 [*totalizaría veintiocho millones*] y las divisas preingresadas son mayores al volumen de granos que finalmente se podrá exportar. Por esta razón, cuando se concretan embarques, en lugar de ingresar divisas, sólo se realiza una operación contable. De este modo, aunque abril, mayo y junio sean los meses de más fuertes embarques porque se juntan la cosecha fina y gruesa, sólo servirán para compensar prefinanciaciones.

"Un ejemplo claro es la plaza de maíz. La cosecha se estima en 4,5 millones de toneladas más 300.000 toneladas disponibles de la temporada anterior. Esto equivale al consumo interno en un año. Pero se sabe que hay entre 600.000 y 700.000 toneladas vendidas al exterior y que los registros de exportación [*los volúmenes que las empresas se comprometen a exportar frente a la Junta Nacional de Granos*] ascienden a un millón de toneladas, que equivale a la tercera parte del volumen habitual. Por eso los embarques que se concretarán en los próximos meses sólo servirán para cancelar una pequeña porción de las prefinanciaciones.

"Se calcula que recién en junio, cuando se inician con intensidad las exportaciones de oleaginosos, los exportadores habrán terminado con los compromisos financieros y comenzarán a liquidar divisas."

Más allá de la precisión de algunas cifras contenidas en estos comentarios, los mismos permitían anticipar que la situación era de tal gravedad que las mesuradas medidas adoptadas por la nueva conducción económica serían insuficientes para controlar el desborde cambiario e inflacionario. Y así lo entendieron los mercados.

El equipo económico había sugerido que aspiraba a un dólar de 40 australes. Luego de la renuncia de Sourrouille el viernes 31 (con un dólar de 48,50 australes), durante los feriados cambiarios del lunes 3 y martes 4 de abril se había operado extraoficialmente con un dólar de 42,70 australes. Todas las miradas de la economía convergían sobre el mercado cambiario ese miércoles 5; y el dólar volvió a descontrolarse subiendo en horas hasta 52 australes y cerrando a 48,80 australes para mantenerse en ese nivel el resto de la semana pese a la suba de la tasa de interés. Aunque duraría varias semanas más, la gestión Pugliese parecía empezar a terminarse.

Esa semana el gobierno lanzó cinco depósitos indexados para calmar al dólar, que se ajustaban por la mejor opción entre tasas de interés o precios en una alternativa, o por tasas de interés o dólar en otra. Algunos de estos depósitos se destinaron exclusivamente a los productores agropecuarios, ya que se ajustaban con el precio de sus granos. Pero la particularidad de estos depósitos era que proporcionaban una insólita ganancia inicial por sólo suscribirlos, ya que tomaban un índice base equivalente a un dólar de 36 australes. Y esta insólita ganancia inicial iba directamente a agravar el déficit cuasifiscal, porque el Estado era quien absorbía prácticamente la totalidad de los fondos.

El nuevo salto del dólar no sólo complicaba al sector financiero a través de estos nuevos depósitos, sino que también agravaba la situación de los precios que a través del sistema del mix cambiario absorbían parte de los movimientos de la divisa en su mercado libre. Se estimaba a fines de la semana anterior que los precios ya tenían incorporado un dólar a 40 australes, y que por lo tanto, de mantenerse en este nivel se podía llegar a un acuerdo de precios. Pero el salto del dólar y un aumento del 20% en el precio de la carne diluyeron las expectativas. Se puede señalar a modo de ejemplo que el kilo de asado costaba en diciembre del 88 26,47 australes y en abril promediaba 44,02 australes, es decir un 66% más.

Todo el prestigio político que innegablemente tenía Juan Carlos Pugliese, contrastaba con la inicial desconfianza y la posterior humillación que recibió del establishment financiero. Cuando en el primer día de operaciones el dólar subió hasta 52 australes, Pugliese comentó: "Apelé al corazón y me contestaron con el bolsillo". La respuesta en medios financieros fue lapidaria. Con titulares que decían *"La economía entre la ingenuidad y la desesperación"*, podían leerse afirmaciones de este tipo: "Se sabía que el nuevo equipo no traía soluciones de fondo, pero no se podía prever tanta ingenuidad en hombres que manejan la economía de un país en extrema crisis. El ministro creía que invocando al corazón el dólar libre se iba a vender a 40 australes en vez de 50. ¿En qué país del mundo hay patriotas que venden divisas a un precio un 20% más bajo que el mercado?"(1)

La primera semana de Pugliese concluyó ya con rumores de modificación del esquema cambiario, que se mostraba absolutamente incompatible con la estabilidad de precios.

---

(1) **Fuente**: *Ambito Financiero*, nota de tapa del 7/4/89.

SEGUNDA SEMANA
10/4 al 16/4

- Dólar libre: 51,30 australes
  - Crecimiento en la semana: 5,8%
  - Crecimiento desde el comienzo del mes calendario: 5,8%
  - Crecimiento desde fines del Plan Primavera (3/2/89): 190,3%
- Dólar agropecuario: 35,70 australes
  - Crecimiento en la semana: 4,1%
  - Crecimiento desde el comienzo del mes calendario: 59,7%
- Dólar importaciones: 35,70 australes
- Brecha dólar libre / dólar agropecuario: 43,7%
- Tasa de interés call money Banco Privado: 39,32% mensual
- Tasa de interés Interempresario: 39,38%
- Inflación de abril (Indice combinado mayorista/minorista): 45,7%
- Máxima oscilación del dólar libre en la semana comparando valores de cierre: 17,5%

La segunda semana de la era Pugliese se inició con optimistas afirmaciones del presidente del BCRA, García Vázquez: "Hemos hablado con los operadores y nos anticiparon que en los próximos días comenzarán a ingresar una cantidad considerable de dólares". Estas palabras se combinaron con dos días consecutivos (viernes 7 y lunes 10) de estabilidad que se explicaron por significativas liquidaciones de divisas de productores que suscribieron el depósito indexado por el precio de los granos.

La designación de los economistas Mario Vicens como secretario de Coordinación Económica y Pablo Gerchunoff como jefe del gabinete de asesores le dio asimismo por primera vez al equipo económico un rostro más técnico. El martes 11, el candidato de la UCR Eduardo Angeloz presentó su propuesta económica en el Plaza Hotel ante lo más importante del empresariado local, y acompañado por sus principales colaboradores en esta área: Zturzenegger, López Murphy y Mezzadri.

El doctor Angeloz volvió a diferenciarse en esa presentación de sus correligionarios radicales al afirmar que "el sector agropecuario puede sembrar con entusiasmo ya que comercializará su cosecha con un régimen cambiario unificado, con flotación libre y sin retenciones de ninguna especie". En su intervención, Zturzenegger subrayó las afirmaciones del candidato a Presidente: "Se instrumentará un fuerte impulso exportador a través de la unificación y liberación cambiaria que elevará los tipos de cambio reales del agro y la industria por encima de los niveles que rigen bajo regímenes de cambios múltiples. Por su parte, López Murphy se ocupó de anticipar la autonomía de la autoridad monetaria, la reducción y luego eliminación del déficit fiscal, la eliminación de subsidios y una activa política de privatizaciones. La presentación, recibida con aplausos en más de una oportunidad, contemplaba también la vieja idea radical de reducir el poder corporativo del sindicalismo a través de la limitación del sindicato único.

Pero no fue el neto sesgo liberal del programa de Angeloz lo que recibió críticas del justicialismo, sino su propuesta de desvinculación con el poder corporativo. Al respecto, Cavallo afirmó que Angeloz buscaba la confrontación, mientras que el peronismo proponía un gobierno de unidad nacional. Para que no quedaran dudas, el diputado justicialista agregaba luego: "El apoyo a las corporaciones ocupa un lugar central en la política económica del justicialismo. El aumento del poder de las corporaciones durante los últimos años ha generado dos actitudes básicas: por un lado, el deseo de destruirlas por un individualismo liberal, y por otro lado el incentivo de encontrar a través de las corporaciones la posibilidad de revertir los desequilibrios existentes para dar paso a que los sectores presionen sobre la sociedad en forma equilibrada. La estrategia de Alfonsín fue confrontar, la nuestra es la unidad nacional".

Pero el discurso del candidato radical también despertó elogios. Decía *Ambito Financiero* el 12 de abril: "Muchos piensan que, luego de su brillante presentación, Angeloz va primero en cuanto a claridad y coherencia en materia de planes económicos".

Por esos días, la crisis de la economía argentina encontraba en Brasil y Venezuela un claro paralelismo. En Brasil, luego de 88 días, sepultaban al Plan Verano reconociendo su fracaso al alcanzar la inflación de abril nuevamente los dos dígitos. En Venezuela, luego de una inflación del 35,5% en todo 1988, de 1,1% en enero y de 3,2% en febrero, la inflación de marzo alcanza el inédito nivel de 21%, como consecuencia de la liberación y unificación cambiaria y de la limitación de los subsidios (especialmente de los dirigidos a la alimentación). Los precios de algunos productos de la canasta familiar habían aumentado más del 100% y no había indicios de estabilización. El presidente Pérez (que al asumir había dicho que pediría asilo fuera del país si la inflación anual llegaba al 80%) en una visita al presidente de Estados Unidos, George Bush, pedía que la reducción de la deuda externa de Venezuela fuera del 50%, y no del 20% como en principio se había estipulado.

Sin embargo, algunos indicadores de la crisis vernácula la hacían incomparable. Uno de ellos era el deterioro progresivo de los mecanismos de financiamiento del Estado. En 1987, el Estado había creado el BARRA, el BAGON y el TIDOL, títulos que al tener un mejor rendimiento y un menor plazo de amortización, hicieron perder el interés por los Bonex. Más tarde, al agotarse el crédito a 3 años para el Estado, éste comenzó a emitir títulos a 4 y

6 meses como las Letras Dolarizadas (LEDO). Pese a que al principio se cuidó la paridad, hacia febrero se comenzaron a colocar Letras con retornos de hasta el 120% anual en dólares garantizado por el Estado. De este modo, las LEDO se devoraron a los BAGON, debiendo asumir los tenedores de estos últimos importantes pérdidas. Finalmente, se inició la era de los depósitos indexados (con las cláusulas más diversas) "bajo la par", que implicaron rendimientos iniciales de entre 20% y 40% sólo por suscribir el depósito confiando que el BCRA pagaría a un plazo de seis meses. Los "premios" por los depósitos-grano con los precios del 6 de abril eran del 22,2% para sorgo, 35,3% para maíz y 37,1% para girasol. De esta forma había en la Argentina, a mediados de abril, veintisiete diferentes bonos nacionales compitiendo entre sí, con los depósitos indexados ya citados y con los tradicionales depósitos a plazo fijo. Los títulos, los depósitos indisponibles y los encajes (es decir, el total de la deuda interna del Estado) asumían un nivel alarmante y, en principio, los planes de ajuste que contenían mayor ajuste del dólar o mayor tasa de interés volverían a agravar el déficit y neutralizaban el objetivo inicial.

¿Cómo esperar estabilidad cambiaria o de precios en estas condiciones? Luego de la temporaria tranquilidad de los dos días previos, entre martes y miércoles el dólar subió un 18%, alcanzando un nivel de 55,80 australes, pese a que las tasas (Interempresario contra Bónex) subían ocho puntos mensuales, del 33% al 41%. Esto terminó de fulminar al primer ensayo de Pugliese. Ya el viernes se disponía un feriado cambiario y se difundían los lineamientos de una nueva reforma cambiaria.

La volatilidad de los precios había impedido fijar una pauta o una norma para lo que había transcurrido del mes de abril. Ante la falta de instrucciones, las empresas fijaban márgenes preventivos que complicaban más la situación. Se percibía ya, asimismo, una paralización casi total del crédito comercial. El desborde de precios originaba pronunciamientos alarmados de entidades intermedias como la Federación del Comercio de Buenos Aires, la Liga de Acción del Consumidor, la Federación de Entidades de Almaceneros de la Pcia. de Buenos Aires y de los propios supermercados, que por primera vez alertaban sobre posibles reacciones violentas de los clientes. Preanunciando una nueva política en el área de precios, el último día de la semana se designó a Jorge Todesca como secretario de Comercio Interior.

Como paso inicial de las nuevas medidas que se conocerían durante el fin de semana, el mismo viernes 14 se dispuso un aumento de tarifas del 14% y de los combustibles del 16%.

Australes por litro - Promedios Mensuales

	Gas Oil	Nafta Super	Nafta Común
Diciembre	5,11	8,08	6,77
Febrero	5,80	9,17	7,68
Abril	6,85	11,68	11,14

En Australes corrientes.

PUGLIESE II: DOS SEMANAS DE DOLAR LIBRE CON RETENCIONES MOVILES

Además de los aumentos de tarifas y combustibles ya anticipados, los instrumentos centrales al inicio de esta segunda etapa de Pugliese eran un nuevo esquema cambiario y el restablecimiento del sistema de precios administrados.

En relación al esquema cambiario, se eliminaba el dólar comercial y se disponía que todas las importaciones y exportaciones se liquidaran por el dólar libre. Tanto las exportaciones agropecuarias como las industriales sufrirían una "retención móvil", cuyo valor resultaría de la diferencia entre el valor del dólar libre y el de un "dólar de referencia" (cuyo valor fijaba el Estado y que inicialmente fue de 36 australes), el día de la liquidación de las divisas. Para las importaciones, el nuevo esquema implicaba una fuerte devaluación, ya que antes se liquidaban por el dólar mix, y ahora lo harían plenamente por el dólar libre. Asimismo, se eliminaba con la modificación cambiaria la variabilidad del precio de los productos exportables originada en las fluctuaciones del dólar libre que tanto había complicado a la economía durante las semanas anteriores. Pero obviamente se seguiría registrando el impacto del dólar libre sobre la inflación a través de los insumos importados.

En relación a los precios, luego de una primera quincena de abril prácticamente en la anarquía, se anunciaba el control y administración de precios, pero sin congelamientos, precios máximos ni pautas.

Las empresas líderes deberían solicitar autorización para aumentar sus precios en base a la justificación de los mayores costos ocurridos a partir del 15 de marzo, fecha de la última información disponible en la Secretaría de Comercio Interior. El resto de la economía debería seguir la regla de trasladar a precios los mayores costos.

Las política salarial se mantenía sin modificaciones, es decir que continuaba el mecanismo de las convenciones colectivas para la fijación de las remuneraciones.

TERCERA SEMANA
17/4 al 23/4

- Dólar libre: 72 australes - Crecimiento en la semana: 40,3%
  - Crecimiento desde el comienzo del mes calendario: 48,5%
  - Crecimiento desde fines del Plan Primavera (3/2/89): 307,5%
- Dólar agropecuario: 36 australes - Crecimiento en la semana: 0,8%
  (neto retenciones) - Crecimiento desde el comienzo del mes calendario: 61,0%
- Dólar importaciones: 72 australes
- Brecha dólar libre / dólar agropecuario: 100%
- Tasa de interés call money Banco Privado: 67,88% mensual
- Tasa de interés Interempresario: 67,88% mensual
- Inflación del mes de abril (Indice combinado mayorista/minorista): 45,7%
- Máxima oscilación del dólar libre en la semana comparando valores de cierre: 40,3%

El nuevo esquema cambiario, ingenioso en apariencia, no parecía sin embargo el más adecuado para recuperar la estabilidad cambiaria. Los exportadores y productores ya tenían un dólar de 36 australes y no liquidaban divisas. Si no lo hacían porque no tenían granos, la reforma no solucionaba el problema, y si la dificultad era que buscaban un precio mayor, ahora tampoco lo habían obtenido. Además, un aumento significativo de la brecha entre el dólar libre y el de referencia, y la falta de una pauta clara de ajuste de este último, podría tornar al mercado tan volátil y especulativo como antes.

Como al inicio de cada reforma, el lunes 17 (que además fue feriado cambiario) el equipo económico se reunió con el Grupo de los Ocho en búsqueda de apoyo a las nuevas medidas. Concurrieron por el sector empresario algunas caras ya conocidas: Montagna (UIA), De la Vega y Savanti (CAC), Maccarone y Giménez (ADEBA), Cárdenas y Handley (ABRA), Sanmartino y Shebar (UAC), Peña, Dietl y Magariño (Bolsa de Comercio), Alchourrón (SRA) y Rojas y Servente (Cámara Argentina de la Construcción).

La respuesta de los mercados a las nuevas medidas no pudo ser más negativa. El martes el dólar subió un 26,7%, el miércoles un 7,7% adicional y concluyó la semana con un aumento del 40,3% respecto del último día de operaciones de la semana anterior, alcanzando un valor de 72 australes. La tasa de interés interempresaria subió asimismo en igual lapso 28,5 puntos mensuales, ubicándose en 67,88%. La frialdad de los números difícilmente refleje la tensión que producían en la sociedad, en plena campaña política, estos movimientos del dólar y las tasas. Asimismo, la competencia preelectoral, en uno de sus picos de agresividad, contribuía a recalentar la situación. La difusión de un corto televisivo respaldado por sectores de la UCR, que subrayaba declaraciones del candidato Carlos Menem en las cuales se vinculaba el derramamiento de sangre con la recuperación de las Islas Malvinas, y en el que participaron empleados del Servicio de

Inteligencia del Estado, desató una ola de violentas críticas al gobierno. La respuesta televisiva del Partido Justicialista, en la cual se contrastaba el discurso modernizante del gobierno con patéticas escenas de pobreza (que algunos aseguraban no habían sido registradas en el país sino que pertenecían a un corto televisivo sobre el hambre en otro país), componía también este cuadro de situación próximo a la conmoción social. Para el diputado Carlos Grosso (PJ) el gobierno radical estaba muerto, y según Carlos Menem, los disturbios registrados en La Rioja durante la visita de Angeloz habían sido provocados por el gobierno.

En este clima de ebullición, probablemente no contribuían al restablecimiento de la calma trascendidos que llegaban de Estados Unidos en el sentido de que la Argentina estaba casi al final de la lista de países aspirantes al Plan Brady. La información provenía del economista Alan Stoga, del estudio Kissinger &Asociados.

Ante la abrupta suba del dólar el martes 27, Alfonsín convocó por la noche a una cumbre en Olivos, luego de la cual se ratificaron las medidas. Pugliese (el miércoles) y Gerchunoff (el jueves) ratificaron explícitamente la vigencia del esquema cambiario y en particular el valor del dólar de referencia, sobre el cual ya se registraban fuertes presiones. Pese a estas afirmaciones, no aparecía la oferta de divisas y el ambiente económico era caótico: la Aduana no había instrumentado el nuevo mecanismo para calcular las retenciones, y por lo tanto las exportaciones se paralizaron. El sector exportador aseguraba que los productores agropecuarios no venderían su producción con el dólar a 36 australes, y que requerían un tipo de cambio de 46/47 australes para el maíz, y de 40/42 australes para la soja. Algunas industrias suspendían embarques al exterior por el abrupto aumento en el precio de los insumos importados. En síntesis, la utilización de expresiones como "el abismo" o "gobierno a la deriva" por algunos diarios, encontraban cierto fundamento en la realidad.

A mediados de la semana, y pese a las complicadísimas

señales provenientes del sector financiero y cambiario, la Secretaría de Comercio Interior lanzó la Resolución Nº 2 que reimplantaba el régimen de precios administrados, tal como se había anunciado. La norma, un poco más restrictiva que las anteriores (se autorizaba un solo aumento por mes y la Secretaría no tenía un plazo explícito para contestar), respetaba en lo esencial la idea de vincular los aumentos autorizados con la evolución de los costos.

Pero más allá de la norma, el desorden en los precios era creciente. Semana a semana aumentaba la proyección del nivel de inflación, y esto realimentaba nuevamente a los precios. Las empresas vendían muy poco, y cuando lo hacían era a "precio abierto", es decir que éste sería definido luego de la entrega del producto. Por último, al establecerse que las importaciones se realizarían por el dólar libre en una semana en que éste aumentó un 40,3%, los precios industriales tenían excelentes argumentos para continuar su ascenso aunque el dólar de referencia se mantuviese anclado.

También el salario volvió a primer plano en esos días, por algunas negociaciones sindicales de fuerte repercusión. La mayoría de los grandes gremios obtenían aumentos de hasta el 33% en abril, y el gobierno evitaba una huelga otorgando a estatales el 32,1% para el mismo lapso. Más allá de estos porcentajes innegablemente altos, sólo la proximidad de las elecciones era lo que en realidad inhibía la protesta sindical, ya que el salario había tenido una fuerte caída en marzo y se esperaba un descenso aún mayor en abril.

La semana transcurrió íntegramente sin que ciertos defectos técnicos del esquema de retenciones móviles pudieran ser subsanados, y por lo tanto se mantuvo la parálisis en la liquidación de las exportaciones industriales. En principio, se exigió que quienes vendían a plazo hicieran efectivo el pago de la retención dentro de los ocho días del embarque, un esfuerzo financiero muy significativo considerando el monto del mencionado gravamen. Asimismo, por el mecanismo de cálculo de la retención, el dólar efectivo en algunos casos era bastante inferior a los 36 australes. Este tipo de desprolijidades no sólo originaron el pedido de la derogación del nuevo esquema por entidades vinculadas al comercio exterior como AIERA, sino que obviamente acentuaron el malestar general y el descrédito del equipo económico.

La convulsionada semana concluyó con un mensaje al país del presidente Alfonsín, pronunciado en la noche del viernes 21. Por medio de éste aseguró que se respetarían los compromisos de la deuda interna (los títulos públicos habían caído un 5% el mismo viernes) y que se mantenía la política cambiaria, y convocó a la oposición a realizar un acuerdo de estabilidad económica para el período de transición entre las elecciones y la entrega del poder.

CUARTA SEMANA
24/4 al 30/4

- Dólar libre: 80,50 australes - Crecimiento en la semana: 11,8%
  - Crecimiento desde el comienzo del mes calendario: 66,0%
  - Crecimiento desde fines del Plan Primavera (3/2/89): 355,6%
- Dólar agropecuario: 36 australes (neto retenciones) - Crecimiento en la semana: sin cambios
  - Crecimiento desde el comienzo del mes calendario: 61,0%
- Dólar importaciones: 80,50 australes
- Brecha dólar libre / dólar agropecuario: 23,6%
- Tasa de interés call money Banco Privado: 112,11% mensual
- Tasa de interés Interempresario: 104,89%
- Inflación del mes de abril (Indice combinado mayorista/minorista): 45,7%
- Máxima oscilación del dólar libre en la semana comparando valores de cierre: 37,5%

La semana comenzó con la presentación de la propuesta económica de Carlos Menem ante un auditorio y en un lugar en el que parecía sentirse cada vez más cómodo: setecientos hombres de negocios lo escucharon atentamente en el local de la Sociedad Rural Argentina. En el mensaje se anunció el cumplimiento de los compromisos externos e internos, el restablecimiento del anonimato de las acciones, la eliminación de las políticas de control de precios (pacto social mediante), la instrumentación de incentivos específicos a las exportaciones y el no repudio de la deuda externa, entre otras medidas y postulados generales.

En relación al discurso de Alfonsín del viernes anterior, el mismo día lunes Menem afirmó que "apoyaría gestiones para evitar el agravamiento de la crisis actual durante la transición", y de hecho se realizaron reuniones entre Jaroslavsky, Nosiglia, Manzano y Bauzá buscando acuerdos para recuperar la estabilidad.

Pero estos gestos de acercamiento político no tenían reflejo en los mercados. Entre lunes y martes el dólar volvió a mostrar una dramática suba del 37,5%, alcanzando los simbólicos 100 australes, un nivel mayor que en el momento más crítico de Isabel Perón. El recalentamiento del sistema financiero fue aún más agudo, llegándose a tasas superiores al 100% mensuales en el circuito interempresario hacia fines de la semana. Aunque parecía difícil, la crisis financiera era todavía más grave que la cambiaria por la dificultad de los bancos en cerrar sus posiciones.

La suspensión, por supuestas presiones militares, de la puesta en el aire de la segunda parte del programa televisivo *El Galpón de la Memoria*, producido por la Fundación Plural (cercana al presidente Alfonsín), llenó la atmósfera de versiones inquietantes y aisló un poco más al gobierno de sus aliados naturales. Asimismo, se difundió a principios de la semana un documento supuestamente elaborado por equipos técnicos de Jesús Rodríguez y Raúl Baglini, en el cual se brindaba la nómina de empresas que potencialmente estarían efectuando retención de divisas. Según este trabajo, la crisis cambiaria "es un arrebato destinado a forzar una mayor devaluación, la eliminación de las retenciones y la liberación absoluta del mercado cambiario o, lo que es lo mismo, una embestida brutal destinada a imponer al conjunto del pueblo una política económica donde los niveles de precios, de salarios, la política presupuestaria y monetaria sean determinadas por cincuenta empresas en detrimento de treinta millones de argentinos". El documento denunciaba que la liquidación de divisas de exportación por parte de treinta empresas líderes durante marzo de 1989, había sido un 86% inferior a la registrada en igual mes de 1988, y que la caída del mismo indicador en el primer trimestre del año había sido del 46,3%. Las empresas consideradas eran las siguientes: Cargill, Siderca, FACA, IBM, Molinos, Swift, Polisur, Propulsora Siderúrgica, Acindar, Indupa, Dreyfus, Alpargatas, Safra, Renault, Sancor, Pasa, Alto Paraná, Buyatti, Meatex, Meiners, Saab Scania, Duperial, Sevel, Aluar, AGFA, Sadesa, Unitán, Frigorífico Rioplatense, Autolatina y Soinco. El trabajo produjo la previsible exasperación en los ambientes empresarios, de donde partieron dardos especialmente dirigidos a la Coordinadora.

La estampida de precios comenzaba a impactar en formas diversas en todo el circuito comercial: las tarjetas de crédito eran suspendidas u operaban con recargos de entre el 20 y el 30%; los farmacéuticos amenazaban con no proveer a las obras sociales si los laboratorios seguían limitando la financiación, y la Unión Argentina de Proveedores del Estado informaba la rescisión de entre treinta y treinta y cinco contratos diarios por la corrida de precios, y pronosticaba un caótico desabastecimiento a breve plazo. Las proyecciones de inflación se ajustaban en forma continua, anunciando niveles mayores a 35% para abril, aunque era aún más perturbador el acelerado cambio de precios relativos.

Durante la semana, las entidades financieras comenzaron a rozar el límite de su propia capacidad operativa, asfixiadas por los altos encajes, los depósitos indisponibles y las altas tasas de interés. Al crecer estas últimas a un ritmo mayor que el aumento de los depósitos, las entidades prácticamente no tenían fondos para financiarse. Como agravante, el BCRA no sólo no liberaba encajes sino que pagaba los intereses con una periodicidad más espaciada que lo requerido por la plaza financiera privada, que estaba colocada íntegramente a siete días. Al limitarse asimismo los redescuentos, el sistema financiero estaba prácticamente en rojo.

Pero la crisis financiera tenía también otras causas: la falta de papel y conflictos laborales habían atrasado la entrega de efectivo por parte de la Casa de Moneda. Hasta la cuarta semana del mes la base monetaria había aumentado un 11% y los precios por lo menos un 30%.

La conmoción cambiaria, inflacionaria y financiera tenía su complemento en la crisis fiscal. Pese a que los gastos operativos de abril se proyectaban a niveles inferiores a los de marzo, los ingresos fiscales registraban un brutal descenso: el Estado parecía no tener ya ningún tipo de financiamiento, ni impositivo ni financiero, y por lo tanto encontrarse al borde de un colpaso.

Todos los indicadores mostraban a esa altura una dramática similitud con el comienzo de procesos hiperinflacionarios registrados en otros países. Además de aumentar el temor, aumentó la curiosidad por lo que estaba sucediendo, y comenzaron a circular artículos y notas especialmente referidas a la hiperinflación registrada en Alemania, Austria y Hungría en las décadas del veinte y del treinta.

El análisis de este fenómeno en otros países planteaba al menos un interrogante muy significativo: ¿podría evitar el gobierno la convalidación monetaria de la hiperinflación? Se coincidía en que en aquellos países había habido convalidación monetaria del aumento de precios y salarios, y se temía que en Argentina ésta pudiera ser "forzada".

Existían en ese momento dos vías posibles de convalidación. La primera era el astronómico déficit fiscal: el operativo (en abril se estimaba pagar con emisión el 100% de los sueldos de la administración), el cuasi-fiscal (la emisión monetaria por los intereses de los encajes alcanzaría en mayo 30.000 millones de australes) y el de capital (entre mayo y setiembre vencían títulos por U$S 1.300 millones). La segunda era el posible "crac" del sistema financiero por el desfasaje entre el bajo aumento de los depósitos y las obligaciones originadas en las altísimas tasas de interés. Esta sombría evaluación de las perspectivas, combinada con un dólar que llegaba a los 100 australes, fue probablemente lo que recreó las condiciones para un nuevo acercamiento entre empresarios y gobierno.

El miércoles 26 trascendió que el Grupo de los Ocho preparaba un conjunto de medidas económicas que requerirían para su aplicación un acuerdo previo de los partidos políticos realizado a nivel parlamentario. En la preparación del plan trabajaban técnicos de FIEL, y no se descartaba a Roberto Alemann como futuro ministro. El plan tenía supuestamente dos ejes: la mejora en la posición de los exportadores y la reducción del déficit fiscal. La jornada cambiaria concluyó con un descenso del 15,7% en el dólar libre, que cerró a 83,50 australes.

Esa noche se realizó una reunión entre Alfonsín, Pugliese y los empresarios Montagna (UIA), De la Vega (CAC), Maccarone (ADEBA), Bibiloni (Cámara de la Construcción), Juan B. Peña (Bolsa de Comercio), Roberto Sanmartino (Unión de la Construcción), Alchourrón (SRA), Handley (ABRA), Massuh (UIA) y Savanti (CAC).

Al cabo de la reunión, que duró más de dos horas, José Ignacio López anunció que "los empresarios se comprometieron a acompañar los esfuerzos necesarios para la puesta en marcha de un programa de estabilización económica". Asimismo, el vocero presidencial agregó que también "apoyan la búsqueda de un acuerdo parlamentario para las decisiones que haya que tomar".

El jueves 27, Roberto Alemann y Adalbert Krieger Vasena salieron por única vez a escena en esta etapa, reuniéndose con Pugliese y luego con Alfonsín. Las versiones sobre dólar libre y retenciones fijas que supuestamente habrían recomendado los nombrados contribuyeron a bajar el dólar otro 3,6%.

El viernes 28 se decidió un nuevo feriado bancario ante la falta de efectivo físico que había hecho subir las tasas a niveles siderales. Ese día el presidente Alfonsín continuó buscando consenso para el nuevo plan reuniéndose con los presidentes de los partidos políticos y con dirigentes de la CGT, y el ministro de Economía recibió a las entidades agropecuarias. El fin de semana largo que se avecinaba (por el Día del Trabajo), sería utilizado para aplicarse intensamente a finiquitar negociaciones y los detalles de las nuevas medidas.

Este febril fin de semana no excluyó reuniones del Grupo de los Ocho con Menem y Alfonsín. El primero se habría mostrado muy remiso a un apoyo abierto al plan por temor a quedar "pegado al gobierno y a dos economistas liberales como Alemann y Krieger Vasena". La reunión con Alfonsín había sido pedida con urgencia por el Grupo de los Ocho ante versiones en el sentido de que el plan contemplaba la eliminación de los reembolsos a las exportaciones industriales. El nexo entre los empresarios y el Presidente de la Nación fue, como en anteriores negociaciones, Murat Eurnekian. Luego de varios encuentros con empresarios y funcionarios durante todo el domingo en diferentes puntos de la ciudad, Eurnekian junto con Favelevic y Montagna se entrevistaron con Alfonsín y concluyeron la conversación convencidos de que habían preservado el mecanismo de promoción de las exportaciones industriales, es decir los reembolsos. Mientras que Handley y Sanmartino iban a un Ministerio de Economía vacío.

PUGLIESE III: FINALMENTE, TRES SEMANAS Y MEDIA DE DOLAR LIBRE

El resultado de varios días de gestiones fue un miniplan económico más completo que los anteriores de Pugliese, que combinaba medidas ortodoxas (como la liberación cambiaria) y heterodoxas como el control de precios. El miniplan contenía referencias específicas a las políticas de precios, de ingresos, fiscal y cambiaria, y al Título de Financiamiento Solidario.

En el área de precios, se decidía un congelamiento que abarcaba a todos los bienes y servicios (excepto frutas, verduras, hortalizas, pescados, mariscos y carnes frescas) y a las empresas productoras, las mayoristas y las minoristas. Asimismo se disponía un aumento del 20% en las tarifas de los servicios públicos y del 25% en las naftas.

El atraso tarifario estimado por la SIGEP en los primeros cuatro meses del año alcanzaba al 27,2%, y en particular algunos combustibles como el gas oil y la nafta súper promediaban desfasajes del 30% en el mismo período. Dada la inflación que se esperaba para mayo del orden del 80%, las correcciones dispuestas en las tarifas y los combustibles implicaban evidentemente la acentuación de los retrasos en los precios públicos, como estrategia para morigerar el descontrol inflacionario.

En relación a los ingresos, se mantenía la vigencia de la negociación colectiva tanto en la esfera privada como pública; las asignaciones familiares se aumentaban 200%; se adelantaba el pago de la parte proporcional del aguinaldo devengada hasta el mes de abril y se aumentaba, en el mes de mayo, el salario mínimo vital y móvil a 4.000 australes.

Con el objeto de disminuir la brecha fiscal, se lanzaba una serie de iniciativas y disposiciones tributarias, algunas de las cuales requerirían sanción parlamentaria. Entre estas medidas se destacaban el adelanto del pago en la cuota remanente del ahorro obligatorio, la implantación de un gravamen a bienes registrales (automotores y bienes inmuebles), la rápida reglamentación del bono de promoción industrial, el impulso del impuesto a la tierra y a la primera venta agropecuaria y la reforma del Régimen de Emergencia Agropecuaria. Además de estas medidas (cuya efectiva concreción en un lapso breve parecía dificultosa), se anunciaban acciones enérgicas para disminuir la evasión fiscal y el compromiso del gobierno de no iniciar ningún emprendimiento en lo que restaba de su gestión.

En el área cambiaria se producía la modificación más esperada: se mantenía el mercado único y libre de cambios, pero se sustituían las retenciones móviles por retenciones fijas del 20% para todas las exportaciones(1). El largamente esperado mercado único y libre de cambios finalmente había llegado, aunque con un nivel de retenciones que tal vez no provocaba la felicidad plena de todos los exportadores.

El último anuncio importante era la emisión del título de Financiamiento Solidario (TIFISO) a ser suscripto a la par por las empresas más importantes del país con el objeto de "financiar al gobierno nacional hasta que se instrumenten y operen las iniciati-

---

(1) Se mantenían los reembolsos a las exportaciones industriales.

vas y disposiciones tributarias descriptas precedentemente". La vaguedad y voluntarismo de este instrumento originó dudas que el tiempo se encargaría de fundamentar.

El miniplan, que en algún instante del fin de semana algunos soñaron que sería una reforma totalmente ortodoxa con apoyo bipartidario, terminó siendo un conjunto de medidas liberales y dirigistas lanzadas por el gobierno sin apoyo de otras agrupaciones y muy sujeto a la buena voluntad del Partido Justicialista en el Parlamento y de las grandes empresas para proveer el financiamiento. Era obvio que a sólo doce días de las elecciones, Menem no había encontrado buenas razones para respaldar un plan de dudosa viabilidad, y la UCR asimismo no podía aceptar el lanzar un plan ultraliberal que había cuestionado durante cinco años y medio.

A los pocos días, R. Alemann y Krieger Vasena dieron su versión sobre su participación en la preparación del plan. Decía Alemann: "El Grupo de los Ocho nos pidió que fuéramos interlocutores ante el ministro de Economía. Dimos nuestros puntos de vista, que no son necesariamente los del Grupo de los Ocho, al día siguiente informamos a los empresarios y ahí concluyó nuestra gestión. Además de la liberación cambiaria propusimos la eliminación de las retenciones y reembolsos a las exportaciones industriales". Asimismo Krieger Vasena agregaba: "En ningún momento sugerimos congelamiento de precios o financiamiento solidario".

Con este conjunto de medidas lanzadas más por concesión que con convicción, con un muy estrecho margen de poder, y con la incertidumbre propia de las dos semanas previas a una elección crucial, comenzaba Pugliese su última etapa como ministro de Economía.

QUINTA SEMANA
1/5 al 7/5

- Dólar libre: 85,50 australes
  - Crecimiento en la semana: 6,2%
  - Crecimiento desde el comienzo del mes calendario: 6,2%
  - Crecimiento desde fines del Plan Primavera (3/2/89): 383,9%
- Dólar agropecuario: 68,4 australes (neto retenciones)
  - Crecimiento en la semana: 90%
  - Crecimiento desde el comienzo del mes calendario: 90%
- Dólar importaciones: 85,50 australes
- Brecha dólar libre / dólar agropecuario: 25%
- Tasa de interés call money Banco Privado: 127,13% mensual
- Tasa de interés Interempresario: 112,11% mensual
- Inflación del mes de mayo (Indice combinado mayorista/minorista): 91,1%
- Máxima oscilación del dólar libre en la semana comparando valor de cierre: 8,1%

Cuando Pugliese se reunió con Manzano en pleno Día del Trabajo, probablemente esperaba escuchar palabras diferentes a las que recibió del diputado justicialista. El plan aún no había comenzado y Manzano advertía: "Nuestra bancada no votará nuevos impuestos, y no le vamos a poner parches a la economía". Luego agregó: "Le pedimos al ministro que el gobierno proteja a los sectores de más bajos recursos, que no están en condiciones de soportar un nuevo tarifazo". Alsogaray era aun menos condescendiente al declarar que el plan era un conjunto de improvisaciones, un intento desesperado por influir sobre la opinión pública antes del 14 de mayo. Angeloz ("No son las medidas que yo implementaría") y Handley, del Citibank ("El Grupo de los Ocho no intervino en la elaboración del paquete económico"), tomaban prudente distancia. Di Tella se expresó con su reconocida franqueza: "Las medidas son una mezcla surgida de presiones de distintos grupos". Finalmente, la CGT reclamó una mejora en las propuestas salariales del gobierno.

Pero, más allá de las objeciones de sectores políticos, y de la polémica entre algunos técnicos en economía sobre si era posible o no salir de la hiperinflación sin un dólar "clavado", algunos economistas le reconocieron al nuevo plan mayores méritos que a cualquiera de los implementados desde febrero, por contener medidas fiscales, cambiarias, de ingresos y algún componente monetario. Sin embargo, la evolución de este último sector, el monetario-financiero, concitaba la mayor atención de la coyuntura.

Durante el mes de abril el BCRA había sacado depósitos bancarios al sistema para financiarse por valor de 173.500 millones de australes, que devengaron intereses, a una tasa del 50%, por 86.750 millones de australes. Ese era precisamente el monto total de los medios de pago y casi el doble de los billetes en poder del público en abril. Por lo tanto, si el BCRA pagaba la totalidad de los intereses, se duplicarían los medios de pago y se triplicarían los billetes en poder del público. Justamente el hecho de que el público tratara de cobrarle esa deuda al Estado presentándose en la ventanilla de los Bancos, era lo que agotaba la existencia de efectivo del sistema, y lo colocaba en crisis.

Durante la semana, representantes de las entidades bancarias mantuvieron una urgente reunión con el presidente del BCRA, Enrique García Vázquez, para plantear la gravedad de la situación originada tanto en la falta de efectivo físico (se estaba entregando entre 20 y 30% de los billetes solicitados por los bancos) como en las normas del propio BCRA. En dicha reunión se entregó un documento de ADEBA que expresaba: "La dinámica de los acontecimientos requiere inmediatas soluciones frente al agravamiento de un cuadro, ya alarmante, caracterizado por la disparidad entre la evolución de los depósitos y la tasa de interés que, a su vez, determina la variación de los encajes remunerados, la iliquidez resultante y los consiguientes problemas de caja de las entidades". En este trabajo se estimaba que, de no modificarse las normas del BCRA, a fin de mes la presión de las colocaciones obligatorias más los encajes harían desaparecer la capacidad prestable de las entidades. Las soluciones que proponía ADEBA consistían esencialmente en la liberación de depósitos indisponibles y el aumento en los redescuentos para atender situaciones transitorias de iliquidez.

Durante la semana las entidades bancarias nacionales y extranjeras solicitaron una urgente reunión con el presidente del BCRA, García Vázquez, para plantear la gravedad de la situación. El reclamo estaba dirigido a lograr una reducción de encajes y a solucionar la falta de efectivo, en razón de que se les estaba entregando sólo el 20% ó 30% de los billetes solicitados. Durante el mes de abril, con una inflación del 46% (por índice combinado), los billetes y monedas a disposición del público habían crecido un 11%.

La plaza operó toda la semana con un límite de 500.000 australes en el retiro de depósitos y con tasas de interés de entre 110 y 130% mensual para empresas de primera línea. Semejantes restricciones financieras tranquilizaron relativamente al dólar libre, que concluyó la semana con un alza del 6,2%. Por supuesto, esto no impidió que tuviera oscilaciones de hasta un 10% dentro de una sola jornada, como anticipando que la tranquilidad era transitoria.

Con referencia a las medidas fiscales, el ministro de Economía y el propio Alfonsín trabajaron intensamente durante la semana para lograr el mayor apoyo posible al TIFISO. En la hipótesis de máxima, con este título se planeaba recaudar entre U$S 300 y 500 millones. El Presidente compartió un almuerzo para tratar este tema con los empresarios Montagna, Puentedura, Vicente y Bagó, mientras Pugliese tenía reuniones con dirigentes de prácticamente todas las grandes empresas del país.

Sin embargo, otra reunión tuvo mucha mayor repercusión política: la de Carlos Menem con el diputado de la UCeDé Alberto Albamonte.

Preanunciando futuras alianzas, ambos dirigentes subrayaron al finalizar el encuentro que habían coincidido en la necesaria recuperación de la moneda y en censurar el "estado de corrupción reinante". La reunión, que desconcertó a la mayoría de la sociedad política, adquiriría con el correr de los meses un significado especial, al comprenderse que la distancia entre Menem y el liberalismo tal vez había empezado a acortarse mucho antes de las elecciones.

El congelamiento de precios, "pieza esencial del plan" según Todesca, enfrentó dificultades toda la semana en razón de que las empresas siguieron entregando productos con valores superiores a los máximos permitidos por la Secretaría de Comercio Interior. Esto ponía a los comerciantes en la disyuntiva de vender a pérdida o violar el congelamiento, y abría las primeras grietas a una disposición que sería muy difícil de sostener.

SEXTA SEMANA
8/5 al 14/5

- Dólar libre: 106 australes
  - Crecimiento en la semana: 24,0%
  - Crecimiento desde el comienzo del mes calendario: 31,7%
  - Crecimiento desde fines del Plan Primavera (3/2/89): 499,9%
- Dólar agropecuario: 84,8 australes (neto retenciones)
  - Crecimiento en la semana: 24%
  - Crecimiento desde el comienzo del mes calendario: 135,6%
- Dólar importaciones: 106 australes
- Brecha dólar libre / dólar agropecuario: 25%
- Tasa de interés call money Banco Privado: 97,86% mensual
- Tasa de interés Interempresario: 71,58% mensual
- Inflación del mes de mayo (Indice combinado mayorista/minorista): 91,1%
- Máxima oscilación del dólar libre en la semana comparando valor de cierre: 24,0%

Por ser la semana previa a las elecciones, la plaza financiera operó con mayor tranquilidad de lo que muchos esperaban. El aumento de la divisa del 20,4% el lunes y del 24,0% en el total de la semana, por cierto no despreciable, produjo un impacto menor que en otras oportunidades sobre una sociedad absolutamente pendiente de lo que sucedería el 14 de mayo. La tasa de interés registró un importante descenso para llegar a situarse en alrededor del 80% mensual en el circuito interempresario, y se detectaron liquidaciones de divisas (no demasiado significativas) por parte de quienes esperaban un descenso fuerte del dólar luego de las elecciones.

Pero una devaluación del 22% desde que fuera lanzado el congelamiento de precios minaba fuertemente la viabilidad de éste. Además, la difusión de la inflación de abril (33,4% minoristas y 58,0% mayoristas) preanunciaba un fuerte arrastre para el mes de mayo. El gobierno debió autorizar, luego de una fuerte presión de los laboratorios, un aumento del 45% en los medicamentos. A esto se le agregó un alza del 32% en el precio de la carne y del 52% en el precio de los cigarrillos, y la proliferación de empresas a las cuales se les había autorizado un nuevo precio con posterioridad al 2 de mayo, y que por lo tanto obligaban a los comerciantes a modificar sus precios. Para solucionar esta última situación, la Secretaría de Comercio Interior aclaró que el congelamiento se refería a márgenes de utilidad y no a precios. Esta última decisión, pese a las desmentidas del Secretario de Comercio, tenía ya demasiada similitud con el inicio del congelamiento de los precios.

También el deterioro fiscal tenía su expresión en nuevas cifras. La caída de las tarifas de las empresas dependientes del Directorio de Empresas Públicas, entre diciembre del 88 y abril del 89, alcanzaba en promedio al 40%, según información del SIGEP. Se estimaba asimismo que la Tesorería había podido financiar en abril sólo el 45% de los gastos operativos, con lo que el déficit operativo llegaba al 4% del PBI, el doble del registrado en meses anteriores.

Con respecto a la otra gran preocupación en el frente fiscal, la deuda interna, paulatinamente se comprendía que el problema no era tanto el "stock" de deuda, como el "flujo" financiero que originaba. La relación deuda interna/PBI, que alcanzaba al 5% (el monto de la deuda era de aproximadamanete 300.000 millones de australes, o sea U$S 3.000 millones(1)), no era un parámetro alarmante visto aisladamente. Sin embargo, los plazos muy próximos de vencimiento de capital más el flujo de intereses con tasas del 100% mensual, eran una amenaza constante a la estabilidad económica, pues sólo podrían ser cubiertos con pura emisión monetaria.

Es probable que en esa semana previa a las elecciones la coyuntura cambiaria haya concitado menor atención que las propuestas económicas de los partidos mayoritarios. En este sentido, el radicalismo había adoptado un rostro predominantemente liberal, antiestatista. El peronismo, a su vez, insistió en su vaga apelación a la Revolución Productiva, que para los analistas significaba la vuelta a la economía populista, con expansión del consumo interno y controles estatales. La sorpresa no se produciría el domingo con el triunfo de Menem, sino que vendría después, al conocerse el verdadero contenido de la Revolución Productiva, la que hacía avances tan profundos en dirección al liberalismo que frente a ellos el discurso de Angeloz había sido una muy timorata actualización del populismo de los años cincuenta y sesenta.

Las elecciones generales del 14 de mayo confirmaron lo que muchos suponían de antemano: el Plan Primavera (y sus derivaciones), concebido como instrumento antiinflacionario, y por lo tanto como clave frente al desafío electoral, terminó siendo un boomerang que aniquiló las chances del oficialismo. Porcentajes mensuales de inflación que se duplicaban mes a mes, y un dólar que se había multiplicado por diez en 100 días, tuvieron una influencia difícil de mensurar con precisión, pero probablemente

---

(1) *Carta Económica* da una deuda interna total de u$s 3.760 millones en mayo y u$s 2.989 millones en junio; y no aclara si es promedio mensual o fin de mes. La cifra de u$s 3.000 millones la da Lachman en un artículo de *Ambito Financiero* del 10 de mayo.

decisiva en el claro triunfo electoral del Justicialismo y sus aliados de ocasión.

En la elección presidencial, no fueron siquiera necesarias las negociaciones en el Colegio Electoral (posibilidad que había llegado a preocupar seriamente en los meses previos a la elección por sus implicancias sobre la estabilidad política), ya que Menem obtuvo el 51,7% de los votos, lo que le aseguró trescientos diez electores sobre seiscientos posibles. A su vez, confirmando la tendencia a la polarización de los últimos años, Angeloz y sus aliados de la Confederación Federalista Independiente alcanzaban el 39,2%, un resultado para muchos analistas muy meritorio considerando las particularidades de la coyuntura económica.

La elección para diputados atenuaba en alguna medida la polarización. El Partido Justicialista y sus aliados (agrupados en el Frejupo) alcanzaban al 46% de los sufragios, y el oficialismo el 33% (quince puntos porcentuales menos que en el '83). Pero esta elección deparaba fuertes decepciones para los sectores que ocupaban los dos extremos del espectro político. Los partidos de izquierda y centroizquierda, que secretamente confiaban en que debido a la dramática situación económica harían una gran elección, repitieron la performance de 1987 obteniendo el 7% de los votos. Por su parte, la derecha (UCeDé y partidos provinciales), que públicamente había anticipado su expectativa de transformarse en la segunda fuerza electoral del país atrás del justicialismo, obtuvo un magro 12%, lo que le produjo un golpe que tardaría en asimilar. Sin embargo, no eran aconsejables las conclusiones apresuradas. Si bien el resultado electoral de la derecha había sido muy pobre comparado con sus expectativas, su mensaje había penetrado fuertemente en los dos grandes partidos tradicionales: bastaba leer la plataforma y discursos de Angeloz u observar las medidas que comenzaría a tomar Menem sesenta días después para comprobarlo.

VOTOS DIPUTADOS NACIONALES

PARTIDOS	1983	%	1985	%	1987	%	1989	%
PJ y aliados	5716373	38.6	5343803	34.9	6875903	42.9	7551583	46
UCR y aliados	7104748	48.0	6678647	43.6	5974139	37.3	53757411	33.1
Centro y Provinciales	557328	3.8	1646952	10.7	2078521	13.0	1948946	12.0
Izquierda y centro-izquierda	703723	4.8	1589230	10.4	1109312	6.9	1109147	6.8
Otros(1)	729059	4.9	65878(2)	0.4		0.0	267466(3)	1.6
TOTAL	14811231	100.0	15324510	100.0	16037875	100.0	16252890	100.0

(1) Incluye MID y PDC, Alianza Demócrata Socialista y otros.
(2) PDC.
(3) Incluye Partido Blanco de los Jubilados.
Son datos provisorios.

FUENTE: Centro de Estudios Unión para la Nueva Mayoría.

SEPTIMA SEMANA
15/5 al 21/5

- Dólar libre: 175 australes
  - Crecimiento en la semana: 65,1%
  - Crecimiento desde el comienzo del mes calendario: 117,4%
  - Crecimiento desde fines del Plan Primavera (3/2/89): 890,4%
- Dólar agropecuario: 140 australes (neto retenciones)
  - Crecimiento en la semana: 65,1%
  - Crecimiento desde el comienzo del mes calendario: 289,9%
- Dólar importaciones: 175 australes
- Brecha dólar libre / dólar agropecuario: 25%
- Tasa de interés call money Banco Privado: 302,1% mensual
- Tasa de interés Interempresario: 177,1% mensual
- Inflación del mes de mayo (Indice combinado mayorista/minorista): 91,1%
- Máxima oscilación del dólar libre en la semana comparando valor de cierre: 65,1%

La rotunda aprobación popular recibida por Carlos Menem en las elecciones del 14 de mayo, contrastaba con el recelo que despertaba su figura entre los extranjeros y en algunos medios financieros locales. El *Miami Herald* decía: "Vuelve el peronismo. A llorar por Argentina", para agregar luego que "los argentinos se resisten a cambiar una economía estatista e ineficiente". *ABC* de Madrid hablaba de "un playboy en la Casa Rosada" y *Jornal do*

Brasil de "la fantasía peronista". Según *Ambito Financiero*, los periodistas extranjeros acreditados en Argentina también hacían incisivas preguntas a sus colegas locales: "¿Cómo puede la mitad del pueblo argentino votar para Presidente a un hombre político que en ningún momento de su campaña dijo cuál era su idea económica en el país con más inflación de la tierra? ¿Quién les dijo a los argentinos que Menem sabe administrar? ¿Dónde y cuándo lo demostró? Sí, es simpático. Alan García lo era, y terminó odiado. ¿Ustedes no creen que este Carlos Menem se encaminará a lo mismo?"

Poco después, el mismo medio daba su propia opinión: "El detalle crucial [*de la aparición de Menem en Tiempo Nuevo*] fue cuando dijo que elegirá ministro de Economía al candidato que le propongan los empresarios: el Ministerio de Economía para los empresarios (ya había hablado del Ministerio de Trabajo para los gremialistas). Sólo faltaría darle el BCRA a los banqueros y la Secretaría de Comercio a la CAME. Como estrategia no sólo es una ingenuidad política, sino imposible de llevar a la práctica. El esquema anunciado por Menem desalentó a los agentes económicos porque conocen que ningún empresario de prestigio —un Oscar Vicente, un Roberto Rocca, un Miguel Roig, y no muchos más— aceptaría integrarse a un gabinete sectorizado por intereses creados".

En simultaneidad con estos comentarios, la economía experimentaba un deterioro cualitativo de su situación durante la semana y el gobierno intensificaba sus esfuerzos para comprometer al Partido Justicialista en el diseño y respaldo de la política económica.

El dólar libre subió todos los días de la semana, concluyendo en 175 australes, un nivel 65,1% mayor al de siete días antes. El ascenso de las tasas de interés fue aún más escalofriante: el call money pasó del 98% al 302% mensual, mientras que en el circuito interempresario el costo del dinero subió del 72% al 177% mensual. La sensación de caos y descontrol económico volvía a acentuarse. La plaza financiera estaba muy pendiente de un fuerte vencimiento de capital del TACAM que se produciría la semana siguiente. El ministro Pugliese debió ratificar el cumplimiento del compromiso por parte del Estado, aunque advirtió que "las empresas deben realizar la suscripción del TIFISO para no echar más leña al fuego". Pese a las reiteradas promesas del gran empresariado a Alfonsín y Pugliese, la suscripción efectiva de este título no se concretaba.

La relativa tregua de precios que había precedido a las elecciones comenzaba a agotarse con el nuevo salto del dólar. Se registraban aumentos de hasta el 70% en algunos productos alimenticios, mientras COPAL solicitaba el fin del congelamiento. El aumento del 40% en tarifas y combustibles fue otro golpe contra la estabilidad de los precios que la crisis fiscal no permitió dilatar, y en la misma dirección influyó la liberación del precio de los autos, que aumentaron entre 50% y 80%.

Rápidamente el gobierno comprendió que ya no podía gobernar solo, que necesitaba apoyo del peronismo. Menem y sus colaboradores resistieron todo lo posible cualquier compromiso (incluso trascendía que Cavallo era partidario de que la situación "tocara fondo" para facilitar las reformas posteriores), descartando Guido Di Tella el mismo lunes 15 la posibilidad de cogobierno.

El martes, Alfonsín pedía una entrevista a Menem y la designación por parte del justicialismo de un representante en cada área de gobierno. Al día siguiente, se reunieron Pugliese y Bauzá para analizar un paquete de medidas económicas que requerirían apoyo de los dos mayores partidos políticos para su instrumentación.

La reunión Menem-Alfonsín se realizó el jueves en medio de creciente expectativa. Desde las elecciones, el dólar había aumentado un 57% y las tasas de interés ochenta puntos mensuales, y ya se hablaba inclusive del adelanto de la entrega del poder. Luego del encuentro con Alfonsín, Menem confirma la decisión de su partido de "colaborar" pero no cogobernar, aunque rehuye definir los límites de esa colaboración, que eran objeto de fuerte polémica. Sus declaraciones fueron: "Vamos a colaborar para hacer lo menos traumática posible la transición, pero no vamos a cogobernar. Las decisiones las debe tomar el gobierno nacional. Analizaremos la posibilidad de enviar una misión conjunta al FMI, y colaboraremos especialmente en reformular el presupuesto de este año considerando la grave situación de las provincias".

Para aumentar la presión, el Ministerio de Economía dio a conocer una propuesta económica "que requiere el apoyo del gobierno electo y las fuerzas políticas con representación parlamentaria". En realidad, se trataba de un conjunto de fuertes medidas fiscales que, en lo inmediato suponían una suba de diez puntos en las retenciones al agro, la eliminación de los reembolsos y de las compensaciones aplicadas al impuesto a los combustibles. Estas medidas se complementaban con otras que requerían sanción parlamentaria, como una moratoria impositiva y previsional, el establecimiento de un impuesto a la primera venta de productos agropecuarios y a la tierra, y la suspensión de los beneficios derivados de los regímenes de promoción industrial.

Se cerraba la semana pero comenzaba un período de "transición dentro de la transición", en que la aceleración de la crisis acercaba al peronismo al poder a una velocidad mayor a la que el propio peronismo deseaba. Durante varios días más, el país asistiría absorto a un complejo entramado de negociaciones entre los partidos políticos (y dentro de ellos) para definir la naturaleza y duración del período previo a la transmisión del mando.

MEDIA SEMANA MAS
22/5 al 24/5(1)

A tono con uno de los momentos más confusos en lo político y económico de los últimos años, la semana no se inició el lunes 22 sino el domingo 21, continuando además con una "tradición" iniciada en el mes de febrero de ese año en el sentido que los grandes cambios de política económica se definieran los días feriados.

Todo comenzó con un domingo intenso, promisorio por momentos, cansador y frustrante al final. En el despacho de Jarovslasky se reunían con este diputado Federico Storani, Jesús Rodríguez, Marcelo Stubrin, Leopoldo Moreau, Luis Cáceres y Gil Lavedra buscando perfeccionar un mecanismo jurídico apropiado para el adelanto en la entrega del poder. Luego, este grupo se reunía en el Congreso de la Nación con los peronistas Manzano, Corzo, Barrionuevo, Cardozo, Bauzá, Arias y José Rodríguez. Circulaban versiones, a esa altura, de un acuerdo entre los dos grandes partidos sobre una forma jurídica para modificar la fecha del cambio de gobierno, y hasta se hablaba de un borrador de acta que suscribirían en breve ambas agrupaciones.

---

(1) **No se consignan los datos de los mercados por haberse determinado feriado bancario y cambiario la totalidad de la semana iniciada el 22 de mayo.**

Más temprano, Bauzá se había reunido con empresarios buscando consenso sobre la decisión de adelantar la fecha de asunción de Menem y sobre los lineamientos de algunas medidas económicas que se discutían con el radicalismo. Sucesivamente, ese domingo recibió a la UIA, ADEBA, CAME, UAC y a las entidades rurales. Luego conversó con los capitanes de la industria Macri, Kuhl, Rapanelli (cabeza del grupo Bunge y Born en Argentina, con intereses en el sector agropecuario, empresas alimenticias, petroquímicas, textiles, financieras, etc.) y Fortabat. Manzano también había comenzado a trabajar más temprano, para discutir el nuevo plan económico con economistas de su partido entre los que se encontraban Curia, Di Tella, Amadeo, Domínguez, Cavallo y Lavagna.

Simultáneamente, Pugliese también discutía las medidas económicas y el encuadre político de las mismas con Matzkin y un grupo de asesores. Como simbolizando la patética confusión de esas horas, al finalizar este encuentro Pugliese anunció (con Matzkin al lado, pero sin aclarar si contaba o no con su apoyo) que en la reapertura de los mercados (no se especificaba cuándo sería) habría desdoblamiento cambiario. El desdoblamiento y las renuncias de Gerchunoff (jefe del gabinete de asesores de Economía), Vicens (secretario de Coordinación Económica) y Eilbaum (vicepresidente del BCRA), eran aparentemente los únicos acuerdos alcanzados, pues era obvia la resistencia del peronismo a comprometerse con tarifazos o nuevos impuestos. En sus declaraciones, Pugliese también expuso con claridad el objetivo del gobierno por esas horas: "La nueva política se hará sobre la base de un acuerdo explícito de todos los partidos políticos, las organizaciones empresarias, la CGT y otros representantes del conjunto de la sociedad".

Las versiones indicaban también que, en Olivos, las gestiones realizadas por Stubrin, Tonelli y Gil Lavedra para convencer al vicepresidente Víctor Martínez para que renunciara a efectos de facilitar la alquimia política del adelantamiento de la entrega del poder, no habían sido sencillas, aunque finalizaron con éxito.

Durante toda la jornada, el presidente electo Menem, que permaneció en La Rioja, fue informado telefónicamente por Duhalde y Bauzá. Fue aparentemente una instrucción recibida durante una de estas comunicaciones telefónicas lo que llevó a Manzano hacia las 19.30 horas a desbaratar la enorme operación que durante dos días habían implementado trabajosamente decenas de operadores de los dos grandes partidos. Ante el estupor de los radicales, todo pareció congelarse al atardecer de esa jornada, y en la reunión de gabinete que se realizó en Olivos hacia las 23 horas predominaron las quejas y las caras largas.

En medio de la confusión, algunos medios tenían muy clara su posición frente a lo que sucedía en la economía. En su edición del lunes 22 de mayo, *Ambito Financiero* decía: "Se adelantará la asunción del poder, pero eso no detendrá el actual caos. ¿Cómo se supone que el dólar no va a subir, los precios no van a crecer y las finanzas no van a enloquecer si la economía del país y los planes de la Nación están en manos de Juan Carlos Pugliese, Bernardo Grinspun y Alfredo Concepción, desde el lado radical, y de Eduardo Bauzá y José Manzano (asesorados por Diamand y Curia) desde el justicialismo? Con esta gente en juego, un dólar a 210 australes no puede sorprender a nadie. Lo que enloquece los precios e impulsa el alza del dólar es la total desconfianza en quienes deciden hoy el tema económico en los partidos mayoritarios. El justicialismo ha dejado de ir a la casa de quienes más saben de economía: Di Tella, Cavallo (prefirió refugiarse en Córdoba), Lavagna (quien salió desilusionado de la reunión de ayer), Frigerio, Cafiero (que permanece en La Plata) o Frigeri". Para rematar, el matutino agregaba: "Manzano insiste en su visión preelectoral de control de cambios, aumento de sueldos y relevo de la segunda línea de economía. Diamand cree, en la Argentina de hoy, que el déficit no es prioritario, que se soluciona con la reactivación. Grinspun le hizo perder a Alfonsín los mejores años y cree en tasas de interés por decreto, como Bauzá y Manzano. Concepción presidió un Banco privado que quebró. Y finalmente completa este grupo Juan Carlos Pugliese: nadie se explica cómo pudo ser dos veces ministro de Economía admitiendo él mismo que no conoce el tema".

Ese lunes se iniciaba, además de con estas claras advertencias del establishment financiero, con feriado bancario y cambiario, y con versiones sobre las medidas que habían discutido radicales y peronistas: control de cambios, con un dólar oficial entre 150 y 170 australes y con un dólar financiero libre; suba de las retenciones al agro y descenso de las retenciones a la industria; quita en los reembolsos industriales; aumento de salarios, jubilaciones, tarifas e impuestos; concertación de precios con tregua social (sin despidos) y un bono voluntario (muy rentable) para postergar el pago del TACAM II que vencía ese día.

Durante el día siguieron las reuniones de los economistas justicialistas con opiniones muy divididas. Cavallo y Di Tella eran claros partidarios de no participar en la transición, mientras que Diamand, Curia y Bauzá aceptaban dar algún respaldo a las medidas del radicalismo, como el desdoblamiento cambiario. También participaron de estos encuentros Matzkin, Amadeo, Lavagna y Domínguez. Algunos de estos economistas se reunían luego con sus colegas radicales, pero los avances eran muy discretos.

Tal como lo había solicitado Bauzá el día anterior, las entidades empresarias comenzaron a pronunciarse claramente a favor del adelantamiento en la entrega del poder. En este sentido, hubo anuncios de UIA, CAC, ADEBA, AIERA, CGI, entre otras.

Pero el ritmo de las negociaciones lo marcaba Menem. Al llegar a Buenos Aires por la mañana del mismo lunes, declaró: "Necesitamos caja para poder gobernar, ahora no hay reservas. No hay fecha para el adelantamiento, tal vez podría ser el 12 de octubre". El Presidente electo buscaba ganar tiempo por todos los medios, mientras urdía la trama de su espectacular giro en materia de política económica. Esa tarde se entrevistó con su futuro asesor, Alvaro Alsogaray, quien no dudó en aconsejarle que la "política económica era responsabilidad exclusiva del actual gobierno, no debiendo comprometerse en lo más mínimo con la misma para no desgastarse". Este mismo consejo repitió el ingeniero liberal un poco más tarde a Bauzá, Manzano y Eduardo Menem.

Probablemente con las palabras de Alsogaray en su cabeza, Menem citó a conferencia de prensa a las 21 horas de ese lunes donde repitió la ambigua consigna según la cual "el peronismo colaborará, pero no avalará la política económica". Añadió que difícilmente podría asumir antes de setiembre u octubre e instó al gobierno a encontrar los medios para contener el alza del dólar. El hilo que unía las negociaciones entre radicales y peronistas era cada vez más delgado.

El martes a la mañana, en el despacho de Manzano, algunos técnicos justicialistas seguían analizando las propuestas de Pugliese. Simultáneamente, se difundían declaraciones de Menem y de Jarovslasky que servirían de excusa ideal para la ruptura entre las partes unas horas más tarde. El primero declaró que no respaldaría un plan económico con tarifazos, mientras el segundo emplazaba al justicialismo a definirse antes de las 21 horas.

Cuando más tarde Bauzá, Manzano y Corzo fueron a ver al presidente electo para comentar las medidas económicas, éste las rechazó como asimismo consideró inadmisible el emplazamiento de Jarovslasky.

Las cartas ya estaban echadas. A las 18 horas Alfonsín habló al país a través de la cadena nacional. En su discurso afirmaba que "fracasaron las negociaciones con el peronismo para adelantar la entrega del poder, y por lo tanto gobernaré hasta el 10 de diciembre. Habrá economía de guerra y gabinete de crisis. El domingo se conocerá el nuevo plan económico". El Presidente se quejaba del peronismo pero aseguraba que seguiría el diálogo: "Se negoció sábado y domingo, se compatibilizaron ideas, renunciaron excelentes colaboradores, hubo dos días de feriado bancario y cambiario, y luego se dijo que no se coincidía en que había que aumentar tarifas e impuestos, y que lo que había que hacer era aumentar salarios y dar mayores recursos a las provincias. Seguiremos dialogando, pero hemos tomado la decisión de gobernar hasta el final de nuestro mandato".

Pero el eje del poder por esas horas se había trasladado a otro lugar. Probablemente a la misma hora en que Alfonsín hablaba por la cadena nacional, Menem concurría a la sede del grupo Bunge y Born (y no evitaba ser fotografiado en la puerta) donde se le presentaría una propuesta económica, un modelo econométrico elaborado por el economista Lawrence Klein (premio Nobel) y adaptada por técnicos del grupo B & B a nuestro país. Aunque luego se relativizaría la participación del equipo de Klein en la propuesta, la combinación de un tecnócrata de fama mundial con una multinacional argentina presidida por un ex secuestrado por los ex peronistas Montoneros, y con el presidente electo (peronista) Carlos Menem, dejó perpleja a toda la sociedad.

Algunos detalles de la propuesta de B & B también deparaban sorpresas. En primer lugar, se afirmaba que el plan contaría con un aporte de U$S 3.500 millones: U$S 2.500 millones del sector exportador y U$S 1.000 millones del sector petrolero. En segundo lugar, planteaba llegar a una inflación anual del 12,4% al cabo de dieciocho meses, de acuerdo a un modelo econométrico que seguramente iba a tener que ser revisado en algunos de sus supuestos por el gravísimo deterioro económico que se producía en esas semanas. Por último, planteaba reinstalar la economía de producción a partir del restablecimiento del poder adquisitivo del salario, el aumento del consumo popular y el saneamiento patrimonial del sector público. Quienes presentaron el plan a Menem no consideraban imprescindible una abrupta caída del PBI para contener la inflación (como en Chile en 1982, Bolivia en 1985 o

Venezuela en 1989) sino que preferían los ejemplos de Israel en 1985 o México en 1988. Frente a semejantes promesas el Plan BB resultaría irresistible para el nuevo presidente.

El miércoles 24 de mayo resultó particular no sólo por ser el tercer día consecutivo de feriado bancario y cambiario sino también porque la economía no tenía ministro, al haber renunciado Pugliese con el resto del gabinete el día anterior. Aunque se cerraba la etapa Pugliese, quien hacía muy particulares declaraciones ese día era el ex secretario de Coordinación Económica Adolfo Canitrot. Cuando le preguntaron si alcanzaba el poder político para hacer las reformas estructurales necesarias, contestó: "No basta, aunque es una condición necesaria. Lo que acá está faltando es una clara idea de prioridades. El radicalismo aprendió gobernando. Cuando llegamos al gobierno, sabíamos bastante menos. Nosotros tuvimos enormes dificultades en el manejo del Estado. Deberíamos haber percibido que teníamos poco tiempo para arreglar las cuentas fiscales. Somos responsables de ese error. Esa es mi principal autocrítica. Sabíamos que había que hacer ciertas cosas, pero surgían resistencias y discusiones y se buscaban soluciones de compromiso. Si no se puede arreglar el sector público, la situación se vuelve inmanejable".

El tramo siguiente de las declaraciones de Canitrot confirmaba las peores sospechas sobre la mentalidad con que se había instrumentado el Plan Primavera, y a su vez planteaba el tema crucial de los límites que, en una sociedad en crisis, plantea a la política económica la falta de un poder concentrado y dominante. Decía Canitrot: "La gestión Sourrouille fue de acróbatas. El Primavera se sacó de la nada. Teníamos mucha inflación y ningún poder político. Y entre José Luis [*Machinea*] y Juan [*Sourrouille*] fabricaron un extraordinario proyecto que duró unos meses y capotó en febrero. Con pura acrobacia no se puede. El problema era muchísmo mayor de lo que nosotros podíamos resolver. Era el problema del poder". ¿Y Alfonsín se los dio? "Seamos francos, ningún presidente, llámese Alfonsín, Menem o Equis, entrega el poder a su ministro de Economía. Lo primero que quiere un economista es que le den el Ministerio de Trabajo".

Por si la superficialidad subyacente en las palabras de Canitrot no fuese suficientemente desalentadora, ese miércoles 24 de mayo, último día de la gestión Pugliese, se producían los primeros saqueos en un local de Supercoop en Córdoba por gente "proveniente de villas de emergencia". Como los problemas ahora eran no sólo económicos sino también de seguridad, se designaba nuevo ministro en la cartera de Interior a un radical respetado, aunque ciertamente golpeado por las circunstancias: Juan Carlos Pugliese.

FINAL Y ATERRIZAJE PARA PUGLIESE

La etapa Pugliese fue posiblemente la más dramática y anárquica de la economía radical. Se intentaron tres reformas cambiarias que concluyeron en fracasos, la inflación se convirtió en hiperinflación, el dólar se cuadruplicó, se designaron y cambiaron funcionarios de perfiles muy diferenciados, se hicieron reiterados y sucesivos anuncios desmentidos de inmediato por los hechos, se intentaron alianzas políticas luego frustradas, se profundizó sustancialmente el déficit fiscal, etc.

Este inventario, así como el conocimiento del desarrollo posterior de los hechos, es una fuerte invitación a la crítica despiadada. Pero si bien hubo claros errores políticos y económicos, las circunstancias eran absolutamente limitativas, y los rumbos alternativos a los elegidos, evaluados con la información disponible en aquel momento, no parecían claramente más apropiados.

En lo político, el gobierno fracasó en sus sucesivos intentos por lograr apoyo de otros sectores. Buscó las promesas de los exportadores, confió en las medias palabras del justicialismo, trató de reverdecer viejos amores con la UIA y finalmente se entregó, aunque a medias, a los gurúes del dólar libre. Si el gobierno tuvo cierta candidez en estos intentos, ciertamente debe reconocerse que a esa altura todos se apartaban de él como de un enfermo contagioso, dificultando la obtención de apoyo para sus políticas.

Cada nuevo intento nacía huérfano, nadie comprometía una declaración de apoyo a medidas que en su naturaleza misma difícilmente podían ser populares. De este modo, con el correr de las semanas se cristalizó una dinámica que podría resumirse así: se lanzaban las medidas, políticos y analistas guardaban prudente silencio por dos o tres días, y cuando el dólar mostraba una nueva oscilación significativa se lanzaba una ola de críticas y escepticismo que realimentaba el fracaso.

En lo estrictamente económico hubo decisiones muy discutibles. En particular la insistencia con esquemas cambiarios (mix cambiario y luego dólar libre con retenciones móviles o fijas) que transmitían las oscilaciones del dólar a los precios, dando más sustento a la inflación, parece haber sido un error y lleva a creer que hubiese sido mejor un sistema de cambio fijo o *crawling peg* que independizara el dólar libre de los precios. Pero los interrogantes surgen de inmediato: ¿Era en realidad posible un dólar fijo con las reservas exhaustas? ¿Cuánto hubiese durado un esquema de cambio fijo si la brecha al segundo o tercer día de operaciones crecía al 200% y comenzaban los reclamos de renuncia del ministro y de devaluaciones? ¿No se hubiese llegado al mismo resultado final?

Pero si el esquema cambiario puede haber sido una zona gris y realmente compleja, otras decisiones implicaron desaciertos difícilmente explicables: por ejemplo intentar un congelamiento de precios con un dólar libre y con mínimo consenso político; o lanzar un sistema complejo como el de las retenciones móviles sin la mínima capacidad de implementarlo o de corregir sus defectos con rapidez; o imponer un dólar inicial de referencia en 36 australes que implicaba continuar la disputa con los mismos sectores que estaban neutralizando hacía ya meses cualquier política económica a la espera de mayores devaluaciones, etc.

La de Pugliese fue la "política económica de la desesperación", y su experiencia demuestra como ninguna otra anterior o posterior que más allá de la capacidad técnica o política de los protagonistas no es posible conducir la economía sin márgenes mínimos de autoridad y certidumbre, pues nada es más poderoso que empresas y particulares compitiendo desesperadamente entre sí tratando de defender sus patrimonios "pues no se sabe qué pasará".

Pero lo antedicho no debería en absoluto excusar la responsabilidad de Pugliese (y muchos de sus colaboradores y amigos de su partido) en subestimar la crisis y creer que la economía de fines de los años ochenta se podía manejar con experiencia política y sentido común. En este sentido, la experiencia Pugliese fue una especie de repetición de la experiencia Grinspun, y reflejo de una cultura inclinada a subestimar el valor de los técnicos y con tendencia a creer que en lo esencial la economía actual se puede manejar con los mismos criterios que en los años 60. Pero la economía de fines de los ochenta es probablemente más compleja en lo técnico y menos ingenua (o más perversa y salvaje) en lo ético que en aquellos tiempos. La apertura al mercado internacional de capitales, el déficit estructural del Estado, el peso de la deuda externa sobre la cuenta corriente de la balanza de pagos y las cuentas públicas, y la cultura inflacionaria especulativa, además del oportunismo de los operadores financieros, por citar sólo algunos ejemplos, transforman a la economía de Illia en un paraíso perdido y a la actual en un verdadero infierno.

CAPITULO CUATRO

LAS SEIS SEMANAS Y DOS DIAS DE RODRIGUEZ

Del 25 de mayo al 8 de julio de 1989

Aunque la designación de Jesús Rodríguez como ministro de Economía se conoció el jueves 25 de mayo, el nuevo plan económico sólo fue concluido en las últimas horas del domingo 28, luego de lo cual el presidente Alfonsín difundió sus lineamientos generales a través de la cadena nacional. En este discurso, el presidente dio su versión sobre la actuación de su gobierno en materia de economía: "A pesar de las imperfecciones e injusticias que todavía persisten, todos tenemos la sensación de que nuestra economía anduvo razonablemente bien hasta hace cinco meses". A estas palabras, que pronunciadas en medio de la intensa crisis fueron duramente cuestionadas, se añadieron expresiones que remitían nuevamente a la visión del propio gobierno como disputando espacios con sectores privilegiados: "No toleraremos injusticias provenientes de la concepción de algunos que creen que son como titulares de un derecho adquirido a la ganancia".

Con este espíritu que ciertamente no excluía la confrontación, y con un ministro de Economía como Jesús Rodríguez, que en la interna del radicalismo estaba asociado a la Coordinadora, sobre la que caía el peso de la crítica de la sociedad por su verticalismo hacia el Presidente, lanzó la UCR su último plan económico en medio de un preocupante aislamiento. Reconociendo en parte esta debilidad, en la presentación del nuevo plan el gobierno afirmaba que "buena parte de las medidas requieren urgente tratamiento parlamentario y la totalidad de ellas una actitud de comprensión por parte de las autoridades electas". Las medidas hacían referencia a la política fiscal, la política cambiaria y bancaria, la política salarial y la de precios.

En el área fiscal, se elevaban a 30% las retenciones a las exportaciones agropecuarias y se mantenían en 20% las correspondientes a exportaciones industriales, se anunciaba el lanzamiento de un plan de facilidades de pago para deudas vencidas con la DGI y la reducción gradual de los subsidios que resultaban de las compensaciones aplicadas al impuesto a los combustibles.

Simultáneamente se proponían medidas tributarias que requerían aprobación parlamentaria, como la suspensión transitoria de los beneficios de la promoción industrial, la generalización de la tasa de estadística, la creación de un impuesto sobre la primera venta de ciertos productos agropecuarios, la cancelación de reembolsos y devolución de impuestos con títulos públicos, la indexación de saldos impositivos, la modificación del impuesto sobre operaciones en divisas y la prórroga de la entrada en vigencia de la reducción de la alícuota del IVA.

Este ambicioso conjunto de propuestas se complementaría con enérgicas acciones contra la evasión; el establecimiento de la "regla de caja" para financiar los gastos públicos (no habría transferencias del BCRA para cubrir el déficit operativo a partir de julio); un aumento tarifario que "permitirá restablecer el autofinanciamiento de las empresas públicas"; la suspensión de obras en las empresas públicas junto con racionamiento de sus compras; el impulso de una ley que establezca un marco general para la privatización de los servicios públicos y la derogación de las jubilaciones de privilegio.

En cuanto a la política cambiaria y bancaria, se fijaba un tipo de cambio único (177 australes) "que facilite la competitividad de nuestras exportaciones", y se afirmaba que toda transacción realizada al margen del régimen de cambios oficial "pondrá en funcionamiento la legislación que tipifica las infracciones al régimen penal cambiario como un delito de derecho criminal". También se anunciaba un fuerte dispositivo de controles e inspecciones para limitar las operaciones marginales.

Asimismo, Economía informaba que las reservas habían aumentado en U$S 270 millones por la venta de la embajada en Tokio, y que en la semana siguiente ingresarían U$S 125 millones por un préstamo otorgado por Brasil, México y Venezuela y auspiciado por el BID.

El lunes 29 continuaría el feriado cambiario y bancario, y en días sucesivos se regularizaría progresivamente el funcionamiento del sistema bancario. En relación a las finanzas públicas, se ofrecía el canje del TACAM II, cuyo vencimiento se había producido días atrás, por Valores Públicos del BCRA o Bónex '87. (Este tema habría de generar fuertes críticas y presentaciones ante la justicia).

En relación a la política salarial, tanto en el ámbito privado como en el público, se mantenían las Convenciones Colectivas de Trabajo, aunque en este segundo caso los representantes del Estado deberían encarar la negociación salarial teniendo en cuenta las posibilidades de financiamiento y los niveles tarifarios correspondientes. Consecuentemente, las empresas públicas (excepto Ferrocarriles) no podrían recurrir al Tesoro o a otra vía de financiamiento que no fueran los recursos genuinos para cubrir gastos salariales. Asimismo, se promovía el aumento del salario mínimo y vital, se aumentaban las asignaciones familiares un 50% y las jubilaciones y pensiones un 54%, se establecía un subsidio por desempleo consistente en un salario mínimo y vital más las asignaciones familiares, y en el sector público se decidía abonar en junio la totalidad del medio aguinaldo correspondiente al primer semestre del año.

Por último, se ratificaba la política de precios administrados aunque con un fuerte énfasis en los controles y fiscalizaciones, y con la advertencia de aplicación de la Ley de Abastecimiento cuando se verificaran excesos.

PRIMERA SEMANA (más dos días)
23/5 al 3/6

- Dólar libre: 320 australes
  - Crecimiento en las últimas dos semanas: 82,9%
  - Crecimiento desde el comienzo del mes calendario: 33,3%
  - Crecimiento desde fines del Plan Primavera (3/2/89): 1.711%
- Dólar agropecuario: 124 australes (neto retenciones)
  - Crecimiento en las últimas dos semanas: -11,4%
  - Crecimiento desde el comienzo del mes calendario: sin cambios
- Dólar importaciones: 177 australes
- Brecha dólar libre / dólar agropecuario: 158%
- Tasa de interés call money Banco Privado: 177,12% mensual
- Tasa de interés Interempresario: sin operaciones
- Inflación del mes de junio (Indice combinado mayorista/minorista): 123,4%
- Máxima oscilación del dólar libre en las últimas dos semanas: 82,9%

Durante los primeros nueve días de Jesús Rodríguez como ministro, hubo cuatro frentes que merecieron especial atención: a) Los primeros pasos del nuevo plan económico; b) La profundización de la hiperinflación; c) Los saqueos, en su punto más crítico; y d) Los movimientos del presidente electo Carlos Menem.

a) Primeros pasos del plan

La principal objeción que recibió el plan fue que su evolución estaba muy condicionada por la sanción de nuevas leyes, lo que implicaba una gran incógnita sobre sus chances de éxito. Sin embargo, en medio de muy fuertes presiones empresarias, la Cámara de Diputados aprobó el miércoles el "paquete fiscal", y la Cámara de Senadores hizo lo propio al día siguiente, aunque soportando intensas (y previsibles) objeciones de los representantes de provincias en las cuales se recortaban los beneficios de la promoción industrial, y del lobby agropecuario.

Los proyectos convertidos en ley implicaban: la suspensión por dos meses del 25% de los beneficios promocionales de las provincias del Acta de Reparación Histórica, y por seis meses del 50% de los beneficios para la promoción patagónica; la generalización de la tasa de estadística (3%) a las exportaciones; la creación de un impuesto sobre la venta de determinados productos agropecuarios y la derogación del Régimen de Emergencia Agropecuaria; la cancelación transitoria de reembolsos de exportación, devolución de impuestos y PEEX con la entrega de títulos de financiamiento solidario; la indexación de los saldos de la declaración jurada del IVA e impuestos internos; la modificación del impuesto sobre operaciones con divisas; la prórroga de la entrada en vigencia de la reducción de la alícuota en el IVA y la reformulación del Presupuesto Nacional.

Sobre el sector agropecuario recaía el aumento de diez puntos porcentuales en las retenciones y el impuesto del 5% a la venta de ciertos productos, a lo que se agregaba un tipo de cambio fijo y controlado con una brecha que empezaba a crecer en el arbitraje con Montevideo. Tal vez la mejor explicación para la aprobación del nuevo impuesto a la venta de ciertos productos pese a la oposición del lobby, fue la inédita celeridad de las Cámaras como también los insólitos horarios en que acabaron las sesiones, que tomaron por sorpresa a quienes tenían el objetivo de obstruir o al menos limitar el proyecto.

Fue una semana absolutamente anormal en las plazas bancaria y cambiaria, al mantenerse un límite de 20.000 australes a los retiros de efectivo de las entidades. Esta restricción se originaba en una real falta de billetes, pero también en una instrumentación del problema por parte del equipo económico a los efectos de limitar el crecimiento de la hiperinflación. La cotización del dólar libre, en esta primera semana con estrictos controles, sólo podía ser evaluada a través del arbitraje con Montevideo. El valor de la divisa se mantuvo, aunque muy errático, entre 210 y 240 australes los primeros días, pero el viernes 2 de junio ya había subido hasta 320 australes, al aparecer una mayor liquidez en la plaza financiera. Si no hubiese sido una semana tan confusa, probablemente hubiera recibido mayor atención el aumento de las reservas por U$S 82 millones que se producía en los cuatro primeros días de estabilidad cambiaria, como fruto de liquidación de exportaciones.

Durante sus primeros días de gestión el equipo económico cumplió su promesa de intensificar los controles para verificar el cumplimiento de las normas sobre precios, lo que derivó en no pocos encontronazos con grandes empresas. Como resultado de las inspecciones, fueron clausuradas diecinueve empresas líderes, entre las cuales causó cierta sorpresa encontrar a Terrabusi (la empresa del presidente de la UIA, Gilberto Montagna) y a Bagley.

Uno de los mayores cuestionamientos institucionales a estos procedimientos provenían de COPAL, entidad que nuclea a las empresas alimenticias, que argumentaba sobre la imposibilidad de cumplir con las normas sobre precios cuando materias primas fundamentales como la carne o el cerdo estaban liberadas, y que asimismo la autorización de sólo dos aumentos por mes era incompatible con una inflación del 70% mensual. Los argumentos de COPAL eran en realidad un modesto ejemplo de las innumerables repercusiones económicas (y también sociales) que paulatinamente producía otra de las cuestiones que concentraba la atención a comienzos de junio: la hiperinflación.

b) Profundización de la hiperinflación

Las pequeñas historias alrededor de la hiperinflación eran en realidad más coloridas y dramáticas de lo que podrían hacer suponer los inconvenientes que tenían las empresas alimenticias: listas de precios dolarizadas con cobranza en dólar billete; caídas del 70% en las ventas; rechazo de tarjetas de crédito; cambio de precios varias veces al día; ventas por debajo de los costos para atenuar gastos fijos; ventas fraccionadas (huevos por unidad, 150 gramos de carne, etc.); paralización total en las ventas de vino reserva, café, quesos, jabón para lavarropas, excepto en zonas de ingresos medios para arriba; falta de medicamentos; sustracción de elementos indispensables para alimentación de niños en grandes establecimientos, o consumo en el lugar; cierre repentino de negocios abandonados por sus locatarios con el stock escaso remanente de mercaderías; abandono de trabajos por parte de empleados al alcanzar el costo del transporte y la merienda el equivalente al 90% del sueldo; asaltos exigiendo alimentos y no dinero; etc.

Las opiniones de algunos técnicos en economía sobre las consecuencias sociales y los costos que generalmente acarrean los procesos hiperinflacionarios agudizaban la sensación de temor en la sociedad. El modelo boliviano, donde en 1985 se había instrumentado un durísimo plan para frenar la hiperinflación que efectivamente había logrado contenerla, pero con un alto costo social, era un referente inevitable. Algunas de las medidas implementadas en Bolivia producían evidente inquietud: relocalización de miles de empleados públicos (que se dirigían al cuentapropismo o a minifundios); disolución de empresas públicas; prohibición de aumentos salariales en el sector público como así también el pago de salarios en especies durante un período prolongado; reducción a diez de los días feriados en el año; etc. Obviamente, las medidas estaban complementadas con otras que implicaban una fuerte reorganización de la economía: libre ejecución de contratos de trabajo en el sector privado; liberación de los precios de bienes y servicios con muy pocas excepciones; precios del transporte y tarifas telefónicas reguladas en cada alcaldía; tarifas libres de aeronavegación; privatización (en manos de una multinacional) de las actividades de control de la aduana; autorización para realizar contratos y operaciones en moneda extranjera y para el flujo de capitales hacia y desde el exterior; eliminación del sistema tributario anterior y su reemplazo por seis nuevos impuestos; prohibición de emisión monetaria para financiar el déficit fiscal; crecimiento de la base monetaria exclusivamente en función de las reservas internacionales; reforma monetaria, etc.

Un economista argentino, Martín Redrado, quien había participado en la preparación del plan boliviano, advertía claramente que "lo que hicimos en Bolivia tuvo un alto costo social pero tuvimos éxito. Las medidas fueron drásticas, como la localización del personal de Comibol, que pasó de treinta mil a siete mil empleados en dos años, o el de la YPF boliviana que se redujo de diez mil a siete mil". Añadía este economista que "dado que el costo social es inevitable, las medidas a aplicar deben tener el respaldo del consenso de los partidos políticos".

El diagnóstico de este mismo técnico sobre la coyuntura en nuestro país, no era tranquilizador: "La Argentina está viviendo los primeros coletazos del proceso hiperinflacionario. El mejor indicio es la pérdida de referencia de todo tipo de precios. Se comienza con una gran volatilidad del tipo de cambio, la dolarización de la economía. Luego, ni siquiera la dolarización sirve para fijar los términos de referencia de los precios, que es lo que ocurrió en las últimas semanas. A la luz de otras experiencias lo que seguiría es una etapa en la que las empresas tienen que ajustar sus costos por la falta de ventas. Comienzan a atacar los costos variables, cosa que ya está comenzando en Argentina y después viene la etapa más difícil, que es cuando empiezan a ajustar los costos fijos, en ese momento sobreviene la prescindibilidad de personal. Creo que estamos muy cerca de que esto ocurra".

El aluvión de diagnósticos y recomendaciones sobre la hiperinflación continuaba preparando a la población para atravesar circunstancias inéditas y dolorosas. Podían leerse en la sección económica de los matutinos afirmaciones de este tipo: "Las soluciones a la hiperinflación sobrevienen sólo a partir de que se ingresa a la fase final, la más grave. Allí la gente, los políticos y los gobernantes han terminado de asimilar la gravedad de la situación. Las soluciones son a su vez costosas y drásticas y se extienden a lo largo de muchos años, como en Bolivia e Israel donde ya llevan 4 años. A diferencia de la inflación alta, la hiperinflación deja tan sensibilizada a la población que se suelen sobrellevar los durísimos planes de recuperación que se implantan".

Algunos iban más allá, y utilizando el ejemplo de la Alemania de los años 20 hacían recomendaciones técnicas. Decía Roberto Roth en el diario *La Nueva Provincia*: "Para dar una idea de las magnitudes que puede alcanzar un proceso hiperinflacionario, tomaremos las cotizaciones del marco papel alemán en el año 1923 respecto del marco oro, que en esa economía hacía de referente, así como en la nuestra se utiliza el dólar. El 3 de julio se cotiza a 38.095 para un marco de oro. A fin de mes había llegado a 261.905. A fin de agosto, 1.523.809; fin de setiembre 28.809.524; fin de octubre, 15.476.190.475; y fin de noviembre 1.000.000.000.000. Lo que estas cifras nos están diciendo es que no existe la posibilidad de imponer un control de cambios durante un proceso hiperinflacionario". Este alegato a favor de la libertad de los mercados quedaría relativizado por los hechos de los meses siguientes, en los cuales la hiperinflación era contenida en Argentina en medio de un estricto control de cambios.

Si bien la hiperinflación no tenía ni remotamente la duración y profundidad que había asumido en Alemania de los años 20 o en Bolivia a comienzos de los 80, algunos puntos de contacto eran evidentes y producían enorme temor. Especialmente a causa del permanente deterioro económico iniciado el 6 de febrero, ya nadie se atrevía a pronosticar dónde o cuándo se detendría la crisis. La angustia y el miedo que producía esta incertidumbre (sólo atenuada por la obvia luz de esperanza que emanaba del próximo cambio de gobierno) alcanzaron su punto máximo cuando en simultaneidad con este clima económico se producían hechos de violencia socio-económica probablemente inéditos en el país: los saqueos, que mantendrían en vilo a la sociedad durante 8 días, y que harían tangible como nunca la realidad de la pobreza y la marginalidad al "estilo Latinoamérica" a la que se acercaba la Argentina aceleradamente.

c) Los saqueos, en su apogeo

Entre los días miércoles 24 y 31 de mayo se produjeron saqueos, especialmente a locales de ventas de alimentos, en el Gran Buenos Aires, Rosario, Córdoba y Mendoza. Hasta el domingo 28 los hechos parecían relativamente menores y controlables, pero el lunes y martes alcanzaron su pico de violencia en Rosario, y el mismo martes y el miércoles tuvieron suma gravedad en algunos sectores del Gran Buenos Aires como San Miguel y Moreno. El saldo fue más de una decena de muertos, miles de detenidos (en su enorme mayoría por un breve lapso), también miles de efectivos de seguridad movilizados y la declaración de estado de sitio en todo el país por treinta días. Durante toda la semana atravesó a la política nacional una fuerte polémica sobre el grado de espontaneidad o, simétricamente, sobre la participación de activistas de izquierda en los incidentes. El gobierno no dudó en adjudicar cierta responsabilidad sobre los hechos a dirigentes del Movimiento al Socialismo y del Partido Obrero, cuyo presidente, Jorge Altamira, fue llevado detenido por la fuerza desde las propias dependencias de la Casa Rosada. La respuesta de la izquierda tampoco se hizo esperar: Patricio Echegaray, del Partido Comunista, replicaba a las acusaciones diciendo que el gobierno "había descubierto ocho millones de agitadores disfrazados de gente con hambre". Este recuento sintético de los hechos tal vez no refleja acabadamente el particular nivel de rebeldía que se percibió durante esos días en ciertos sectores sociales que, si bien parecían circunscriptos a determinadas zonas geográficas, enviaron a la clase política su mensaje sobre lo poco que tenían que perder.

Desde el miércoles 24 al domingo 28 los incidentes fueron relativamente pacíficos. El modus-operandi típico eran grupos de aproximadamente cien personas, con niños incluidos, que provenientes generalmente de villas de emergencia irrumpían en supermercados cercanos y los saqueaban, aunque sin producir destrozos (con mínimas excepciones) ni asaltar las cajas. En algunos casos, se interceptaban y desvalijaban camiones de distribución de alimentos, o se procedía a ingresar en los locales con numerosos niños que comían fiambres, quesos y yogures en el mismo sitio.

Pero en la madrugada del domingo al lunes la situación empeoró sustancialmente en la ciudad de Rosario y su periferia. Sólo durante la mañana se produjeron treinta y tres hechos de violencia. Los negocios y galerías cerraron sus puertas al mediodía, al extenderse los saqueos desde el norte de la ciudad hacia el sur y el oeste. Ya no sólo se hablaba de grupos de gente humilde y espontánea, sino de la participación de ladrones profesionales, barras bravas y hasta de supuestos hombres que dirigían las operaciones con autos equipados con walkie-talkies. Esa tarde en

Rosario, algunos propietarios se defendían con escopetas, otros tapiaban ventanas o electrificaban puertas, los taxis y colectivos dejaban de circular y la policía se veía superada en muchos sectores. La gravedad de los hechos hizo necesario el refuerzo con 1.200 hombres de Gendarmería como así también la declaración del Estado de Emergencia en la ciudad de Rosario y un viaje relámpago a Buenos Aires solicitando ayuda al gobierno nacional del gobernador de Santa Fe, Víctor Reviglio. Las noticias provenientes de Rosario como los primeros incidentes graves en el Gran Buenos Aires, decidieron al Poder Ejecutivo Nacional a decretar el Estado de Sitio la noche del lunes 29.

El martes 30, mientras la violencia continuaba en Rosario, se alcanzaba el máximo pico de tensión en el Gran Buenos Aires y en la Capital Federal. Bombas de estruendo en la City, amenazas de bombas en ministerios, bombas (reales) en locales de la Unión Cívica Radical o del Partido Comunista, rumores de columnas enardecidas que se acercaban a la Capital e informaciones ciertas de una auténtica batalla campal en lugares del conurbano bonaerense como San Miguel o Wilde, produjeron una situación de pánico colectivo en la ciudad de Buenos Aires que tenía pocos antecedentes.

Pero lo más grave sucedía en la periferia de la ciudad. En Moreno, ante rumores de columnas de mil quinientas personas que se acercaban hacia el centro de esa ciudad, el intendente recorría las calles con un megáfono exhortando a la población a permanecer en sus casas. Grupos de quinientas personas organizaban en la misma ciudad una manifestación y luego una olla popular. En Quilmes saqueaban dos sucursales de los supermercados Sumo. En La Plata, manifestantes quemaban neumáticos y los comerciantes cerraban sus locales. En General Sarmiento, trescientas personas desvalijaban el supermercado El Más Gauchito en quince minutos y otras mil personas de la villa de emergencia Mitre arrasaban con varios locales. En Avellaneda, los dueños del supermercado Llaneza repartían bolsas con alimentos gratuitamente para hacer desistir a la gente del saqueo del local.

En San Miguel, la violencia y el caos dejaban un saldo de cinco muertos y decenas de heridos y contusos. Las crónicas de ese día y el siguiente hablan de una auténtica "tierra de nadie", de bandas armadas con revólveres y machetes, esperando el ataque de otras bandas, de barricadas de neumáticos y fogatas en las esquinas, de alambres electrificados, y de una policía que directamente no ingresaba en determinados sectores. No sólo se atacaron negocios sino también casas particulares y, en algunos casos, el vandalismo era cometido por ex amigos o ex vecinos, lo que le daba a la situación un dramatismo muy particular. Ese martes 30, la violencia continuó en Rosario donde incluso se intentó tomar algunos frigoríficos. Los detenidos llegaban a mil, por lo que el gobierno debió incautar un predio de la Sociedad Rural para utilizarlo como centro de reclusión.

El miércoles 31, mientras la presencia de tres mil efectivos de seguridad hacía decrecer los incidentes en Rosario, la violencia continuó en el Gran Buenos Aires, especialmente en Moreno. En esta ciudad unas tres mil personas intentaron ingresar por la fuerza al laboratorio Fisher, a causa de lo cual moría un joven. En la Villa Malaver unas mil quinientas personas cometían actos de vandalismo, y en el barrio La Perla más de quinientas personas saqueaban incluso casas particulares. Pero a partir del jueves 1 de junio la voluminosa presencia policial y las numerosas detenciones que el estado de sitio había permitido efectuar hicieron decrecer a un nivel mínimo los incidentes en los focos más conflictivos.

Si bien el pico de tensión había sido altísimo (no faltaron apelaciones a "sacar los tanques a la calle" como la efectuada por el periodista Mariano Grondona en la emisión del programa televisivo *Tiempo Nuevo* del martes 30), la próxima llegada al poder de un gobierno con fuerte apoyo de sectores populares, y que en sus primeros movimientos encontraba buena receptividad en el mundo empresario, fue en alguna medida un contrapeso a la sensación de descontrol social vivida durante esos días.

d) Los movimientos de Carlos S. Menem

Durante la semana, Menem profundizó sus avances en dirección a la formación de algún tipo de alianza con sectores del gran empresariado. El martes 30 por la noche, desde el programa televisivo *Tiempo Nuevo*, conducido por Bernardo Neustadt, anunció la designación de Miguel Roig, segunda cabeza de Bunge y Born en la Argentina, como ministro de Economía de su futuro gobierno. El nombramiento, recibido con inocultable entusiasmo por el sector empresario y financiero en general, fue interpretado como la confirmación más contundente de la intención de Menem de no regresar al populismo económico y de propiciar su reemplazo por un proyecto más liberal. Más allá de reservas puntuales, para la comunidad de los negocios de la Argentina, absolutamente convencida de que el déficit fiscal y la excesiva presencia del Estado en la economía eran las causas excluyentes y esenciales de las dificultades económicas del país, la designación era un paso en la dirección correcta. Sin duda, las especulaciones sobre el futuro proyecto económico no asignaban el mismo rol a la pequeña y mediana empresa, al gran empresariado ligado a los contratos y subsidios estatales, a la industria tradicional, al sector agropecuario tradicional o al nuevo polo exportador formado alrededor de la agroindustria, la siderurgia y la petroquímica. Pero estas diferencias no impidieron en un primer momento que una brisa de esperanza recorriera los puntos neurálgicos de decisión de la economía argentina.

Pero los pasos de Menem para seducir a sectores tradicionalmente poderosos de la sociedad no concluyeron en el ministro de Economía ni se circunscribieron a lo económico. En Economía se mencionaba la designación de Guido di Tella como secretario de Coordinación Económica, posiblemente de Ricardo López Murphy (uno de los radicales más liberales) al frente del BCRA, y del propio Alvaro Alsogaray como asesor del Presidente. Se designó a Cavallo ministro de Relaciones Exteriores como una señal muy clara de reorientación de la política hacia Estados Unidos, y al más respetado de los renovadores, Octavio Bordón, en el ministerio de Obras y Servicios Públicos (quien luego declinaría el ofrecimiento). Amalia Lacroze de Fortabat aceptaba la propuesta para desempeñarse como embajadora itinerante, mientras Lúder era designado ministro de Defensa, para beneplácito del Ejército, y Salonia ministro de Cultura y Educación, con la complacencia de la jerarquía católica.

Así concluían estos intensos nueve días de política y economía de Carlos Menem. Probablemente con cierto éxito en su ostensible esfuerzo por ensanchar su apoyatura social desde los sectores económicamente más relegados hasta los sectores más privilegiados, confirmando algunas dudas de los sectores medios sobre su lugar en el nuevo esquema y dando lugar a la acuñación de nuevas terminologías como alianza "conservadora-populista" o "neoperonismo".

Final de nueve días agitados

El apogeo de los saqueos y la continuidad de la crisis precipitaron una reunión entre Alfonsín y Menem que se produjo el miércoles 31, luego de la cual se esperaban definiciones sobre el adelantamiento en la entrega del poder que finalmente no se produjeron. En conferencia de prensa celebrada luego de la reunión, Menem reafirmó que "en Argentina no hay cogobierno ni desgobierno, sino un solo gobierno". Y añadió que la eventual renuncia de Alfonsín era una decisión exclusiva del radicalismo.

Las resoluciones adoptadas durante este encuentro se volcaron en un acta firmada por ambos dirigentes en la que se acordaba: las razones para el establecimiento del estado de sito; la designación de comisiones para reformular el presupuesto de 1989 y elaborar el de 1990; la consideración conjunta de las medidas legislativas a ser enviadas al Congreso para enmarcarlas en "el imprescindible consenso de las fuerzas mayoritarias"; la consideración de las medidas para la circulación y financiamiento de los bonos emitidos por la deuda pública interna tendientes a asegurar el restablecimiento del crédito estatal; el envío de una delegación conjunta a los Estados Unidos con el propósito de analizar los temas referidos a la deuda externa con los organismos internacionales de crédito, etc.

Pese a las desmentidas, todos los trascendidos indicaban que el adelantamiento en la entrega del poder habría sido considerado y que la fecha más probable sería el 12 de octubre. Pero los sucesos de los días siguientes se encargarían de apresurar esta transición política hasta una fecha que a esa altura pocos imaginaban: el 8 de julio de 1989.

SEGUNDA SEMANA
4/6 al 10/6

- Dólar libre: 370 australes
  - Crecimiento en la semana: 15,6%
  - Crecimiento desde el comienzo del mes calendario: 54,2%
  - Crecimiento desde fines del Plan Primavera (3/2/89): 1.993%
- Dólar agropecuario: 128,8 australes (neto retenciones)
  - Crecimiento en la semana: 3,9%
  - Crecimiento desde el comienzo del mes calendario: 3,9%
- Dólar importaciones: 184 australes
- Brecha dólar libre / dólar agropecuario: 187,3%
- Tasa de interés call money Banco Privado: 159,60% mensual
- Tasa de interés Interempresario: 142,95% mensual
- Inflación del mes de junio (Indice combinado mayorista/minorista): 123,4%
- Máxima oscilación del dólar libre en la semana comparando valores de cierre: 15,6%

Al difundirse durante al semana los índices inflacionarios correspondientes al mes de mayo (78,5% los precios al consumidor y 103,7% los mayoristas), se tomó plena conciencia de la consolidación de la hiperinflación. Estos niveles constituían records absolutos de la historia argentina en la materia, bastante alejados de las marcas anteriores registradas durante el gobierno de Isabel Perón.

El arrastre para el mes de junio en los precios al consumidor se estimaba superior a cincuenta puntos, por lo que ya a principios de ese mes se proyectaba que el piso de la inflación era de 100%.

Si bien los precios mayoristas (nivel general) habían aumentado un 103,7%, los mayoristas importados habían registrado una suba del 131,0%, reflejando el impulso que les seguía dando la evolución del dólar. Pero había otro rubro que empujaba el alza de precios: a favor de una demanda inelástica y de una muy buena coyuntura de precios internacionales, la carne crecía un 210% en mayo y acumulaba 600% en los primeros cinco meses del año (período en el cual la inflación minorista había alcanzado un 232%).

Semejantes variaciones en los precios tenían repercusiones socio-económicas muy concretas. En el área de los alquileres se preveía una situación muy conflictiva a partir del mes de julio, cuando se incorporaran a la indexación los índices de incremento de mayo y los subsiguientes, que tendrían probablemente tres dígitos. Agravaba además el cuadro la fuerte caída de la oferta de inmuebles, que había comenzado unos meses antes de las elecciones previendo algún cambio en la legislación. Mientras las entidades del sector sugerían acuerdos de partes para superar los eventuales conflictos, ya se hablaba en ámbitos parlamentarios de instrumentar una normativa para subsidiar a los inquilinos de menores recursos.

Otro sector fuertemente afectado por el desborde inflacionario era el de los planes de ahorro previo para la adquisición de automóviles. A partir de la liberación de precios en mayo, los autos cero kilómetro habían aumentado un 700%, y se estimaba que la cuota de junio sería al menos un 400% superior a la del mes anterior. Tomando el período enero-mayo, el precio de los autos había acompañado en promedio la evolución del dólar y, por lo tanto, la disparidad respecto de los ingresos salariales era sustancial, lo que aumentaba la morosidad en el pago de las cuotas y prácticamente anulaba la suscripción de nuevos planes.

Las consecuencias de la distorsión de los precios en el área de la salud eran más preocupantes. El faltante de medicamentos importados y de "descartables" (como jeringas o gasas) era considerable. También había fuerte merma en placas radiográficas y medicamentos oncológicos, lo que había propiciado un mercado negro de "generosos" intermediarios que proveían estos elementos desde Montevideo. Pero lo que más alarma producía era la evolución financiera de las obras sociales, ya que mientras las prestaciones y los materiales médicos se habían dolarizado en una gran medida, los ingresos de las obras sociales seguían relacionados con la evolución de los salarios.

La hiperinflación repercutía asimismo sobre los hábitos de compra de la población, ya que mientras en el mes de mayo se producían caídas en las ventas de las empresas alimenticias (35%) y de los almacenes (40%), las ventas de los supermercados crecían un 10% en el mismo período respecto del mes anterior. Probablemente, la aceleración en los precios potenciaba el proceso de concentración en las compras que se venía registrando en forma creciente desde hacía tres años. Asimismo, se agudizó notoriamente la tendencia a recargar las compras durante el fin de semana, y durante la primera quincena del mes, como reflejo de una mayor presencia del jefe de familia en los supermercados y de una actitud más racional en el manejo del dinero.

La segunda semana de Jesús Rodríguez como ministro fue relativamente calma en el frente cambiario. El dólar, cuya cotización marginal todavía era seguida con el eufemismo de "arbitraje Montevideo", aumentó un 16% cerrando el viernes a 370 australes, mientras que el límite al retiro de efectivo se elevaba gradualmente desde 20.000 australes hasta 100.000 australes. Las tasas de interés activas se mantuvieron en el orden del 140% al 160%, y se esperaba para la semana siguiente un intento del BCRA para hacerlas descender a través de la liberación de encajes e indisponibles.

El deterioro de las reservas del BCRA estaba tan intensamente descontado por los mercados, que la declaración formal del país como *"value impaired"* (valor deteriorado) por parte del Comité Interagencia de Evaluación de Países, que responde al Tesoro estadounidense, pasó prácticamente inadvertida en la cotización del tipo de cambio. Esta determinación obligaba a los Bancos acreedores del país a pasar el 20% de sus créditos a la categoría de reservas, y se estimaba que el Banco más afectado por la decisión era el Manufacturers Hannover Trust.

Este respiro en el frente cambiario contrastaba con la inquietud y controversia generada alrededor de los vencimientos de la deuda interna. Se estimaba que la concentración de los vencimientos en los meses de agosto y setiembre era el principal obstáculo económico al adelantamiento en la entrega del poder, ya que la amortización de dicha deuda perturbaría cualquier plan de estabilización. Paradójicamente, además, el propio BCRA estaba neutralizando uno de los pocos efectos benéficos de la hiperinflación, que era la licuación de la deuda interna, al canjear títulos en australes sujetos a licuación, por títulos en dólares libres como en el canje del TACAM II por BONEX 87. Esta operación fue particularmente censurada pues, dadas las paridades utilizadas, se compensaron las pérdidas que habían sufrido los tenedores del TACAM II, las que fueron en consecuencia absorbidas por el BCRA. Asimismo el procedimiento de cancelación o compensación no era el mismo para todos los bonos, con lo cual se producía una situación de inequidad absolutamente injustificada. En algunos casos se cancelaron los vencimientos con acreditaciones en cuenta corriente que quedaban sujetas a los límites en el retiro de los depósitos (como sucedió con el TICOF o el BARRA), y en otros (LEDA VI) el BCRA ofreció canjes con paridades que implicaban absorber pérdidas mayores que con el TACAM II.

Los tenedores de bonos volvieron a tener novedades hacia

fines de la semana, cuando el presidente del BCRA anunció que el gobierno licitaría la capitalización de la deuda interna mediante lo cual las empresas tenedoras de títulos públicos en australes podrían cancelar sus deudas con los bancos oficiales. El anuncio tuvo inmediato reflejo en los mercados, ya que la cotización de los títulos públicos registró una suba espectacular (BAGON I: 43%, TACAM IV: 28,57% y BARRA: 18,42%) al día siguiente, al aparecer los compradores que esperaban licitar en la capitalización con un bajo descuento, y así licuar sus deudas con el Estado.

Pero el clima económico no sólo estaba marcado por la coyuntura cambiaria y financiera, sino también por algunas decisiones de Carlos Menem. Al no aceptar Octavio Bordón su designación al frente del ministerio de Obras y Servicios Públicos, se designó al abogado administrativista José R. Dromi, quien en sus primeras declaraciones públicas decía que el achicamiento de los gastos del Estado se vería desde el principio, y que su reconversión y ajuste debía ser conducido con fuerza por el Presidente. Asimismo, a Alberto Albamonte, diputado de la UCeDé, se le ofrecía la Secretaría de Comercio Interior, lo que muchos creían interpretar como una señal de que no habría congelamientos de precios. Por último, la designación de Jorge Triaca como ministro de Trabajo también fue recibida como un buen síntoma en el mundo de los negocios, ya que era considerado como el menos combativo de los gremialistas que eran potenciales candidatos al puesto.

Durante toda la semana continuaron los contactos entre los dos principales partidos para definir la fecha de entrega del poder. Por primera vez se mencionaba como probable, aunque muy difícil, el día 9 de julio. Asimismo, se aseguraba que el tema quedaría definitivamente resuelto en el curso de los días siguientes, los que quedarían marcados por las circunstancias que rodearían esta definición.

TERCERA SEMANA
11/6 al 17/6

- Dólar libre: 375 australes - Crecimiento en la semana: 1,4%
  - Crecimiento desde el comienzo del mes calendario: 56,3%
  - Crecimiento desde fines del Plan Primavera (3/2/89): 2.022%
- Dólar agropecuario: 147 australes (neto retenciones) - Crecimiento en la semana: 14,1%
  - Crecimiento desde el comienzo del mes calendario: 18,9%
- Dólar importaciones: 210 australes
- Brecha dólar libre / dólar agropecuario: 155%
- Tasa de interés call money Banco Privado: 97,86% mensual
- Tasa de interés Interempresario: 97,86% mensual
- Inflación del mes de junio (Indice combinado mayorista/minorista): 123,4%
- Máxima oscilación del dólar libre en la semana comparando valores de cierre: -9,2%

El lunes 12 de junio, Alfonsín envió a Rodolfo Terragno a la ciudad de La Rioja con la instrucción de finiquitar ese mismo día un acuerdo con Carlos Menem sobre la fecha y los mecanismos institucionales de la entrega adelantada del poder. La urgencia presidencial por renunciar, además de originarse en la imposibilidad de manejar la crisis económica por un período demasiado prolongado, se vinculaba con el fastidio que habían producido declaraciones de futuros funcionarios sobre el plan económico a implementarse (se adjudicaban a Di Tella declaraciones sobre un dólar "recontraalto") y aparentemente con el deseo de evitar verse comprometido con algún tipo de resoluciones de la "cuestión militar".

Durante toda la jornada Terragno conversó con Menem y sus asesores, y comunicaba las novedades telefónicamente a Alfonsín, quien había resuelto irreversiblemente hablar por la noche por la cadena nacional anunciando o bien un acuerdo con Menem, o en su defecto la fecha de su renuncia unilateral. Cuestiones de forma, como el "ultimatum" de Alfonsín, o de fondo, como el mecanismo mediante el cual el gobierno saliente se comprometería a facilitar las medidas económicas que impulsaría el gobierno entrante, hicieron imposible el acuerdo. Luego de esperar novedades favorables desde La Rioja hasta las 21 horas, Alfonsín grabó su mensaje, que fue difundido una hora después, en el cual anunciaba su decisión de "resignar a partir del 30 de junio" al cargo de Presidente de la Nación. En el mismo discurso, Alfonsín comprometía su voluntad para "facilitar la inmediata sanción de las leyes económicas que proponga el futuro gobierno" y para promover una exhaustiva investigación de todos los actos administrativos efectuados durante su gobierno.

La indefinición que producía la renuncia de Alfonsín sin que mediara un previo acuerdo con Menem, no llegó a producir una situación crítica en virtud de que rápidamente los delegados de Menem anunciaron la decisión de éste de asumir el 9 de julio y su deseo de que Alfonsín le colocara la banda presidencial. Finalmente, y luego de conversaciones que se prolongaron toda la semana, el viernes se anunció que la fecha del traspaso del poder sería el 8 de julio. Alfonsín renunciaría efectivamente el 30 de junio, pero su renuncia sería aceptada el 8 de julio, cuando además se realizaría la ceremonia en la que colocaría la banda presidencial a Carlos Menem.

Pese a las importantes definiciones políticas y los momentos de incertidumbre, fue una semana tranquila en el mercado cambiario y financiero, y en la que además el gobierno pudo lograr un precario acuerdo para fijar algunos precios indicativos con entidades empresarias. El dólar libre cerró prácticamente al mismo nivel de la semana anterior, pese a tasas de interés más bajas (incluso inferiores al 100% mensual) y a que se aumentó a 200.000 australes el límite a los retiros de efectivo de las entidades financieras. Asimismo, el aumento del 108% en la Bolsa en catorce días de junio no sólo era explicado en medios financieros por movimientos especulativos de corto plazo, sino también por cierta mejoría en las perspectivas ante la inminencia ahora cierta de un plan de estabilización.

En el área de precios, luego de numerosas conversaciones mantenidas entre el secretario de Comercio Interior, Jorge Todesca, y representantes de la UIA y la CAC, las entidades empresarias obtuvieron una nueva reglamentación que esencialmente permitía solicitar modificaciones en los precios cada 8 días corridos durante el mes de junio, siempre justificadas de acuerdo con la evolución de los costos. A cambio de esta autorización de la Secretaría de Comercio, comprensible en un contexto de más de 3% de inflación diaria, los empresarios aceptaron concertar una lista de precios indicativos para veintinueve productos de consumo masivo, aunque destacaron que de ninguna manera esto debía considerarse como un acuerdo con el gobierno. De todos modos, a estos intentos por controlar los precios en un contexto de pleno desborde hiperinflacionario (cuando, por ejemplo, ya eran comunes aumentos salariales mayores al 100%, o cuando se hablaba de pagos de salarios semanales), se los consideraba en general muy poco duraderos y efectivos.

Los indicadores de la evolución del déficit fiscal presentaban tendencias negativas, consistentes con el descontrol inflacionario y con un gobierno que, viéndose en retirada, no tomaba medidas drásticas en ningún frente. Durante la semana anterior se había dispuesto un aumento del 28% en los combustibles y de entre el 16% y el 35% en servicios. Frente a la inflación de mayo, y a la proyectada para junio, estos incrementos agudizaban el atraso tarifario. Según una estimación de la Sindicatura de Empresas Públicas, dicho atraso era en promedio del 47% en mayo de 1989 respecto del mismo mes de 1988, y se "agudizaría seriamente en junio". En el mismo sentido, trascendía la opinión de funcionarios de YPF según la cual era necesario un aumento del 200% en el precio de los combustibles derivados del petróleo.

El déficit fiscal operativo había alcanzado en mayo el mayor nivel desde el lanzamiento del Plan Austral, con la sola excepción de un mes. Nuevamente la causa de la agudización del desequilibrio fue una muy fuerte caída de los ingresos frente a una suave caída de los egresos operativos. Los ingresos del mes de mayo alcanzaron apenas al 28,6% del promedio mensual registrado en el año 1988. La explicación central de la caída en los ingresos totales era la pérdida de ingresos tributarios, especialmente del IVA. No sólo el nivel del déficit operativo en mayo fue alarmante, sino también del déficit total (que agrega al anterior los egresos por intereses y avales). La magnitud del desfasaje en mayo alcanzó tal nivel, que los ingresos sólo cubrieron el 28% de los egresos totales. En junio se esperaba que la reimplantación de las retenciones contribuyera a mejorar la situación, pero era incierto el efecto financiero que tendría el nuevo paquete fiscal aprobado a principios de mes.

CUARTA SEMANA
18/6 al 24/6

- Dólar libre: 450 australes
  - Crecimiento en la semana: 20%
  - Crecimientodesde el comienzo del mes calendario: 87,5%
  - Crecimiento desde fines del Plan Primavera (3/2/89): 2.447%
- Dólar agropecuario: 159,6 australes (neto retenciones)
  - Crecimiento en la semana: 9,6%
  - Crecimiento desde el comienzo del mes calendario: 28,8%
- Dólar importaciones: 228 australes
- Brecha dólar libre / dólar agropecuario: 182%
- Tasa de interés call money Banco Privado: 214,85% mensual
- Tasa de interés Interempresario: 159,6% mensual
- Inflación del mes de junio (Indice combinado mayorista/minorista): 123,4%
- Máxima oscilación del dólar libre en la semana comparando valores de cierre: 20%

Durante la semana la economía parecía llegar a un punto muy próximo a la cesación de pagos externos. El propio presidente electo Carlos Menem admitía que si "el BCRA entra en rojo, es algo muy grave", y las versiones indicaban que Alfonsín le había adelantado que el nivel de reservas era inferior a U$S 200 millones. Confirmando estas informaciones, el BCRA lanzaba una disposición por la cual toda operación de compra de divisas por un monto superior a los U$S 1.000 requería autorización expresa de la institución. En lo inmediato, esto suponía una paralización de las importaciones, fletes, prefinanciaciones, etc., ya que previamente había que obtener la autorización de la autoridad monetaria, que se reservaba así el derecho de contestar con la celeridad que considerara conveniente.

Pese a esta situación límite con las reservas, el dólar subió un 20% durante estos siete días, un incremento seguramente inferior al que se registraba en los precios. Esta relativa quietud cambiaria encontraba al menos dos explicaciones inmediatas: un fuerte aumento en la tasa de interés y un nivel del dólar que se estimaba ya demasiado alto. Versiones de un posible desagio y una importante absorción de fondos por parte del Tesoro mediante Letras Telefónicas, prácticamente duplicaron las tasas de interés entre el lunes y el jueves. Este último día se llegó a pagar a grandes inversores un 250% mensual, y algunos créditos costaban el 400% en el mismo lapso. Advirtiendo la gravedad de la situación, el BCRA dispuso una fuerte liberación de encajes que hizo bajar el costo del dinero a niveles más próximos a la inflación proyectada, a partir del día viernes. Simultáneamente, las investigaciones que se realizaban sobre el nivel del tipo de cambio coincidían en que éste había alcanzado un nivel récord. Al respecto, según un trabajo elaborado para determinar la paridad cambiaria aplicando como deflactor el cociente entre los precios mayoristas de Argentina y Estados Unidos, el dólar de fines de mayo de 1989 era el más alto considerando cualquier período desde 1977 en adelante. Según esta serie, el dólar de mayo era un 147% mayor en términos reales al de 1977, un 87% mayor al de julio de 1988 y un 130% mayor al de enero de 1989.

La Secretaría de Comercio Interior intentó concertar con las empresas el ajuste a la lista de los precios indicativos que se había conformado la semana anterior. El acuerdo establecía la modificación de los valores indicativos cada ocho días pero, como era de prever, no pudo prorrogarse pese a intensas negociaciones, pues mientras las empresas solicitaban ajustes del orden del 45% y en algunos casos de hasta el 100%, la Secretaría de Comercio Interior aspiraba a incrementos del 25%, para mantener la inflación en el nivel del mes anterior. También obstaculizó el acuerdo la gran disparidad en las estructuras de costos presentada por diferentes empresas para un mismo producto. Como algunos empresarios reconocían explícitamente, "las declaraciones de futuros funcionarios complicaban el sistema de precios", al alentar la formación de colchones preventivos en función de un posible congelamiento. Comenzaba en esas horas un salvaje proceso de remarcaciones impulsado casi autónomamente por la expectativa de que el próximo plan económico incluyera un congelamiento, y que condicionaría fuertemente la posibilidad de que el nuevo gobierno alcanzara la estructura de precios relativos que deseaba tener al comienzo del plan. Todas las encuestas de seguimiento de precios indicaban una fuerte aceleración en la tercera semana, con proyecciones por encima del 130% para los precios mayoristas en el total del mes.

A la aceleración de los precios seguía la distorsión de sus valores relativos tanto en el área de los productos como en el de los servicios. En el sector de los seguros, por ejemplo, se había llegado a una situación de gran desequilibrio. Entre abril y mayo, la Unidad de Cuenta de Seguros (el índice que rige la evolución del valor de las primas) había aumentado un 84%, los precios mayoristas un 219%, el dólar un 383% y los autos 0 km. un 700%. Y esta complicación se reproducía en todas las operatorias en las cuales se realizaban indexaciones con índices de precios retrasados o donde era necesario anticipar futuros valores.

Al desorden que producía la hiperinflación en el plano monetario, se oponía un consistente deterioro de la economía real. Todos los indicadores de producción, ventas, salarios y ocupación mostraban tendencias negativas en los últimos meses. Durante mayo, la producción industrial volvió a declinar, especialmente en las áreas dirigidas al consumo doméstico como alimentos, bebidas o tabaco, que promediaban caídas del orden del 13%. En el mismo mes, el consumo de energía eléctrica por parte de grandes industrias descendía un 8% respecto del mes anterior, y la producción de autos un 73,4% respecto de mayo de 1988. En relación a las ventas, se colocaba en mayo un 58% menos de automóviles que un año antes, los fabricantes de productos electrónicos informaban de un descenso de 45% en el último bimestre y los despachos de cemento a plaza caían 34,2% respecto de mayo de 1988.

Pero la pérdida de los salarios era mucho más grave. Según la Fundación Mediterránea, en el período febrero-mayo de 1989 los salarios medios habían descendido un 40% y, según la UADE, sólo en mayo el salario industrial medio había perdido un 22% de su capacidad adquisitiva.

Luego del desborde inflacionario, caían la producción, las ventas y los salarios y, siguiendo una lógica inexorable, el paso siguiente en el desarrollo de la crisis era el deterioro del nivel de ocupación. A mediados de junio se estimaba que un millón doscientos mil trabajadores se encontraban bajo la influencia de medidas de prevención tales como suspensiones y otras derivadas de la virtual paralización de numerosas actividades productivas. Aproximadamente la mitad de las empresas privadas estaban aplicando en forma directa suspensiones sin goce de salarios y sólo cedían, otorgando concesiones de emergencia, a partir de denuncias ante el Ministerio de Trabajo o por presiones sindicales. Según un informe que elaboraba en esos días el Ministerio de Trabajo con datos de las propias empresas, los casos de suspensiones, despidos, reducción de jornadas y adelantos de vacaciones se habían elevado de 1.140 en abril a 151.190 entre mayo y los primeros diez días de junio. Obviamente estas cifras subestimaban a las reales, ya que se armaban con las propias denuncias de las empresas, aunque marcaban con claridad la tendencia.

Esta Argentina en crisis, contrastante, paradójica, no sólo

causaba sorpresa y curiosidad a los extranjeros, sino también un cierto fastidio, como el que trasmitía una nota de tapa dedicada al país aparecida en la edición del 22 de junio de *The Wall Street Journal*. En la misma se afirmaba que "el mayor desafío que enfrentaría Carlos Menem podría no ser la crisis económica, sino convencer a sus alguna vez ricos compatriotas que son tan pobres como lo indican todas las estadísticas. A diferencia de otros países latinoamericanos, la mayoría de los argentinos considera a la pobreza como algo fuera de lo normal. Esta resistencia a admitir su pobreza se ve alimentada por una ciudad como Buenos Aires, con barrios, boutiques y avenidas a la altura de los mejores de Europa". Y agregaba *The Wall Street Journal:* "y por un campo en el cual los cultivos no necesitan fertilizantes y el ganado engorda en un esquema pastoril". Para el diario estadounidense, "el sistema de Perón, que terminó en la estanflación, perversamente sobrevivió de una u otra forma, mientras que el Estado, los sindicatos, los empresarios y terratenientes parecen tener más éxito obteniendo y gastando una parte de la riqueza nacional que creándola". La descripción continuaba diciendo que los argentinos "son adeptos a anticipar los ciclos económicos, comprando casas, autos y ropas cuando los precios bajan y huyendo hacia la divisa cuando estalla la inflación". La frase final de la nota destacaba la ácida autocrítica que propone el actor Enrique Pinti en su espectáculo *Salsa criolla*, cuando dice: "Fue necesario verdadero talento y perseverancia para destruir un país tan rico".

En realidad, una gran parte de la población no necesitaba a esa altura demasiados argumentos para convencerse de su pobreza, y algunas designaciones y definiciones sobre el próximo plan económico que se producían en esos días preparaba a otros sectores de la población, especialmente a las capas medias, para un futuro en que al menos en lo inmediato tendrían clara noción de lo que significaba un plan de ajuste: mantenimiento de un salario real bajo.

QUINTA SEMANA
25/6 al 1/7

- Dólar libre: 520 australes
  - Crecimiento en la semana: 15,5%
  - Crecimientodesde el comienzo del mes calendario: 116,6%
  - Crecimiento desde fines del Plan Primavera (3/2/89): 2.843%
- Dólar agropecuario: 183,4 australes (neto retenciones)
  - Crecimiento en la semana: 14,9%
  - Crecimiento desde el comienzo del mes calendario: 49,0%
- Dólar importaciones: 262 australes
- Brecha dólar libre / dólar agropecuario: 184%
- Tasa de interés call money Banco Privado: 112,11% mensual
- Tasa de interés Interempresario: 97,86% mensual
- Inflación del mes de junio (Indice combinado mayorista/minorista): 123,4%
- Máxima oscilación del dólar libre en la semana comparando valores de cierre: 29%

Faltando dos semanas para la entrega del poder, la economía estaba absolutamente condicionada por las expectativas frente a las designaciones y definiciones que en dicha área producía el futuro gobierno. El equipo económico saliente, ya en retirada, se concentraba en administrar la coyuntura cambiaria y financiera (de lo que resultaba un dólar que creció en la semana, aunque menos que la inflación), y decidía un aumento de tarifas del 35%

que morigeraba en mínima proporción el atraso que se registraba en los ingresos de las empresas públicas.

Designaciones como la de María Julia Alsogaray en el puesto de Interventora de ENTel, de Octavio Frigerio al frente de YPF, de Javier González Fraga (un economista que se reconocía liberal) como presidente del BCRA, y la casi segura designación de Alvaro Alsogaray como asesor presidencial para el tema de la deuda externa marcaban la profundidad del cambio económico que deseaba impulsar Carlos Menem. Más aún, el nombramiento de Frigerio en YPF, pese a una explícita oposición de los sindicalistas del sector petrolero, fue interpretado por muchos como un gesto simbólico destinado a demostrar una actitud menos complaciente con los sindicatos.

Más liberalismo y más pragmatismo parecían ser las consignas en la definición de personas y políticas. Palabras pronunciadas por María Julia Alsogaray al aceptar su designación en ENTel simbolizaban ese espíritu: "Voy a privatizar la empresa en cortísimo plazo y me voy a cobrar el éxito con votos propios". La diputada ucedeísta aseguró en esa ocasión que su designación no había sido a cambio de los votos de sus electores para senador en la Capital ya que ellos "no votarían al candidato peronista" y que "no habría capitalización de deuda para la privatización de ENTel porque es un negocio suficientemente atractivo". La designación de otro liberal, Alberto Albamonte, en la Secretaría de Comercio Interior, no pudo superar las restricciones que a veces impone la realidad. Su apego "principista" al liberalismo lo llevó a pronunciarse explícitamente esa semana en contra de la Ley de Abastecimiento y de los controles de precios, y esto impediría a la larga que se mantuviera en el cargo para el que había sido designado, aunque en su reemplazo se nombraría a otro afiliado a la UCeDé, Pablo Challú.

Pese al intenso debate económico que rodeaba la expectativa del lanzamiento de un nuevo plan, parecía haberse alcanzado por esos días un importante consenso alrededor de dos axiomas. El primero de ellos era que, en el mediano y largo plazo, la recuperación del bienestar sólo se lograría instaurando un sistema económico más abierto al mundo, más liberal, más capitalista y con menor presencia del Estado como regulador, como propietario de activos y como proveedor de bienes y servicios. El segundo axioma expresaba que para llegar a instaurar ese sistema económico era necesario, en el corto plazo y en términos muy simplificados, realizar un "duro ajuste" de la economía combinado con un conjunto de "reformas estructurales". El ajuste más las reformas estructurales, tenderían a restablecer el capitalismo en la Argentina, y las virtudes naturales de éste (el capitalismo) posibilitarían la recuperación económica.

Estos dos axiomas habían sido particularmente adoptados y reforzados por Menem y sus futuros colaboradores en el área económica. Sin embargo cuando los actores económicos pretendían derivar de estos principios generales cuáles serían los planes concretos, los matices, los plazos de instrumentación, la repartición de los costos entre sectores, no se encontraban respuestas terminantes de los futuros funcionarios. Había un mosaico de declaraciones y trascendidos a partir de los cuales la sociedad iba delineando sus expectativas. Pero particularmente en el área de los técnicos en economía había polémicas sobre aspectos instrumentales del plan. ¿Ajuste con tipo de cambio fijo o flotante? ¿Precios libres, congelados o administrados? ¿Ajuste gradual o en forma de shock? ¿Dureza fiscal combinada con flexibilidad monetaria? ¿Tasas de interés muy positivas en la etapa inicial o créditos blandos para reactivar el consumo? ¿Prescindibilidad de empleados públicos?

Las respuestas se iban construyendo a partir de declaraciones de futuros funcionarios, pero también a partir de trascendidos, opiniones de expertos extranjeros y de analistas económicos.

Moisés Iconikoff, futuro secretario de Planeamiento, se despegaba un poco de la coyuntura y daba su opinión sobre la etapa que debía encarar el país: "El capitalismo en Argentina necesita para desarrollarse de una etapa de acumulación. Ello implica postergar la satisfacción de necesidades básicas vitales y aun legítimas de los distintos sectores sociales para crear las condiciones genuinas de un legítimo crecimiento autosostenido. Se debe atravesar por una fase similar a la vivida por Inglaterra a fines del siglo XVIII, por Japón con la dinastía Meiji o en la Corea de los últimos treinta años". Según Iconikoff, la Argentina había tenido entre 1880 y 1930 una economía de renta, pero desde 1930 "nos quedamos sin la renta pero con la cultura de la renta. Desde entonces, la lógica de la producción fue reemplazada por la lógica del poder ya que el acceso a la riqueza pasó a exigir la conquista de posiciones próximas al poder político".

Mientras tanto, el acoso periodístico lograba obtener algunas definiciones referidas al corto plazo de tres personas claves del próximo gobierno: Carlos Menem, Miguel Roig y Javier González Fraga.

Las palabras de Menem preanunciaban el fuerte aumento en el precio de los combustibles."Se deberá cambiar el auto por la bicicleta. No es posible que el Estado subsidie a todo el mundo con una nafta que cuesta siete centavos de dólar, cuando el precio histórico ha sido de cuarenta o cincuenta centavos". Pero luego adoptaba un tono más suave: "El consumo popular se puede incrementar fundamentalmente con el aumento de los salarios y dándoles a las empresas créditos blandos para poder soportar los primeros tiempos, a los efectos de que a partir de la reactivación entremos a hacer realidad lo que hemos dado en llamar revolución productiva". Sin embargo, el Presidente advertía que "quizás estos primeros meses no sean tan duros si bajamos la hiperinflación, pero la dureza vendrá después para mantener la disminución del déficit fiscal y el combate permanente a la hiperinflación".

Miguel Roig estaba convencido de que cualquier anticipo que

realizara le restaría efectividad al futuro plan; sin embargo, los días 28 y 30 de junio hizo unas muy discretas afirmaciones. En una aparición en un programa televisivo anticipaba lo que ya era casi un slogan nacional: "El plan económico va a ser duro, porque las circunstancias no permiten un programa blando". Agregaba más tarde: "Hay que sincerar las variables para atacar ese monstruo que es el Estado. Hay variables que se han detenido, como las tarifas, y lo que no se paga por tarifas se paga con inflación". En relación al financiamiento del sector público, Roig afirmaba que "el BCRA no va a emitir para ayudar al sector público. Una de las primeras propuestas en forma de ley va a ser que el Banco Central no pueda ser colocador de fondos o títulos del sector público. Esto implica que el Estado va a tener que financiarse genuinamente". El mercado esperaba impaciente anticipos sobre el tipo de cambio, pero Roig evitó definiciones demasiado comprometedoras afirmando que "el tipo de cambio [*oficial*] tiene ya un nivel alto en relación a otras variables, como las tarifas". Finalmente, el ex funcionario de Bunge y Born hizo alusión a posibles "créditos blandos" para financiar aumentos de salarios para sectores de menores recursos, lo que para algunos era incompatible con un plan de ajuste ortodoxo.

Tal vez estas últimas declaraciones de Roig convencieron al futuro presidente del BCRA, Javier González Fraga, sobre la necesidad de hacer unas aclaraciones en una reunión del futuro gabinete ministerial, las que se filtraron al conocimiento público: "No se puede instrumentar ningún crédito blando ni reducir los encajes, ya que el estricto control de la oferta monetaria será el reaseguro del plan antiinflacionario". Orlando Ferreres, futuro viceministro de Economía, ratificó el criterio descartando la implantación de créditos subsidiados para algunos sectores como sugería el plan BB original.

Sin embargo, las declaraciones que probablemente tuvieron mayor repercusión concreta en la coyuntura económica, a dos semanas del cambio de gobierno, estuvieron a cargo de Eduardo Curia, quien había sido designado secretario de Gestión Económica. Sin medir la oportunidad de sus palabras, Curia aseguraba que "el congelamiento de precios es compatible con el plan antiinflacionario del futuro gobierno" y que "podría ser implantado unilateralmente por el gobierno o con previa concertación con las empresas". La escandalosa remarcación de precios quc se producía durante esos días no podía haber encontrado mejores argumentos para continuar.

Pero las hipótesis sobre el contenido del nuevo plan no sólo se nutrían de las declaraciones de futuros funcionarios (y de lo que sugía de sus trayectorias políticas) sino también de trascendidos o filtraciones de información. La difusión el 29 de junio del anteproyecto de ley de Reforma del Estado que impulsaría el futuro gobierno hizo pensar por primera vez en círculos económicos que se estaba frente a un plan económico que además de las recetas tradicionales, incluiría algunos elementos de transformación más profundos. El anteproyecto facultaba al Poder Ejecutivo a privatizar las empresas públicas (total o parcialmente), así como también a entregar servicios en concesión. Asimismo admitía en principio la aplicación del mecanismo de capitalización de la deuda externa para las privatizaciones. Este anteproyecto de ley, junto con otro referido a Emergencia Económica (cuyos detalles aún no se conocían pero que era presentado como un instrumento para limitar los subsidios), eran definidos por los futuros funcionarios como los pilares de la "reforma estructural".

La hiperinflación vernácula generaba curiosidad también a especialistas extranjeros como Jeffrey Sachs, profesor universitario que había colaborado con el plan antiinflacionario de Bolivia y que llegó al país el 27 de junio. La mayoría de las declaraciones de Sachs fueron previsibles, pero no todas. Recomendó una extrema disciplina monetaria hasta hacer desaparecer el déficit fiscal y el cuasifiscal (habló de clausurar el BCRA). "Las medidas deberán ser duras, muy duras. Los nuevos funcionarios se deben grabar la palabra *NO*. No, a todas las presiones que signifiquen expansión monetaria, nuevas líneas de crédito estatales o directamente emisión de moneda". Pero en otro tramo de sus declaraciones, se refirió a la enorme masa de capitales argentinos en el exterior, a la resistencia de empresarios a pagar impuestos y resignar subsidios, y a la imposibilidad de que la Argentina pagara intereses al exterior durante dos años.

El Plan no sólo recibía consejos sino también objeciones anticipadas de técnicos que asociaban en forma directa lo que vagamente se llamaba dureza del ajuste con sus posibilidades de éxito, sin mediatizaciones intelectuales de ningún tipo. Eran muy criticadas las intenciones de Roig de financiar aumentos salariales, lo que era caracterizado al menos como "una riesgosa jugada". También causaba estupor a algunos analistas la posibilidad de que se intentara detener la inflación con un método gradualista. Con frases como "más de lo mismo" o "doble mensaje" se caracterizaba cualquier declaración que implicara la posibilidad de apartarse de un ortodoxo plan de ajuste.

Este intenso intercambio de ideas era confuso en la superficie pero tenía una lógica central que unía los dos axiomas ya mencionados y que podía resumirse así: la penuria (el ajuste) lleva al capitalismo, y el capitalismo a un mayor bienestar. Aceptando esta lógica omnipresente, la sociedad quedó mejor preparada para realizar nuevos sacrificios, aunque vaciada de argumentos para entenderla mejor o cuestionar sus fundamentos. El debate se había bastardeado al máximo. Pocos se preguntaban, por ejemplo, si todo ajuste lleva al capitalismo, si todos los ajustes son necesariamente iguales, si toda privatización mejora la calidad de los servicios, si toda liberalización de los mercados aumenta la eficiencia global, etc. Había llegado la magia, que todo lo igualaba sin matices: la magia del ajuste conducía al capitalismo (y cuanto más intenso y rápido mejor) y la magia del capitalismo a un mayor bienestar general.

Mientras los argentinos se acostumbraban a no hacer ciertas preguntas, al menos por algunos meses, en el resto de América Latina se sobrellevaban por esos días las crisis que tenían en común con la Argentina, aunque con éxitos disímiles. Bolivia, el nuevo paradigma latinoamericano en términos de lucha contra la inflación, obtenía nuevos éxitos: pese a la incertidumbre provocada por el desacuerdo entre los partidos mayoritarios sobre quién sería el próximo presidente, registraba una inflación de 0,18% en junio, acumulando un 2,45% en el semestre. En su convulsionado vecino Perú, algunos temían que la renuncia (luego retirada) del escrito Vargas Llosa a su candidatura a la presidencia de la nación por la derecha, pudiera abrir las puertas a un triunfo electoral del marxismo.

En Venezuela, por primera vez en más de treinta años de democracia, se firmaba un Pacto Social entre el gobierno, empresarios y trabajadores para evitar episodios de violencia como los producidos en febrero. En el acuerdo de concertación que se extendía por sesenta días, los empresarios se comprometían a no despedir personal y los sindicatos a no solicitar aumentos de sueldos. Las partes aceptaban asimismo que "sin un profundo saneamiento de las finanzas públicas, no será posible el éxito de cualquier programa económico".

Brasil mostraba a fines de junio puntos de contacto significativos con la Argentina. Al subir la inflación del 10% en mayo a aproximadamente el 25% en junio, el presidente Sarney anunciaba su disposición a adelantar la entrega del poder luego de las elecciones del 15 de noviembre, para evitar los riesgos de hiperinflación durante la transición.

Pero la vedette era México, que por esos días renovaba el pacto social y obtenía descuentos en su deuda externa. El Pacto Social para la Estabilidad y el Crecimiento Económico realizado entre empresas y sindicatos en diciembre de 1987 había logrado reducir la inflación del 160% al 20% anual, y su prórroga por ocho meses se consideraba crucial para la marcha de la economía de este país y para la negociación de la deuda externa. El Pacto había sido complementado con una austeridad en las finanzas públicas que había reducido sustancialmente el déficit fiscal y con una mayor apertura de la economía a las inversiones externas. Con el respaldo de la estabilidad interna, México negociaba a fines de junio en forma muy agresiva reducciones a su deuda externa en el marco del Plan Brady. Los bancos, que habían comenzado ofreciendo quitas del orden del 20%, bajo fuertes presiones de la Administración Bush habían subido la oferta hasta 35% (equivalente a U$S 17.400 millones) y se estimaba que las partes llegarían a un acuerdo en pocas semanas. Las instituciones financieras internacionales se mostraban fuertemente interesadas en terminar con éxito esta negociación, no sólo por el interés particular de Estados Unidos en su vecino, sino también para enviar al resto de América Latina un mensaje según el cual "quien ordenara su economía sería ayudado".

SEXTA SEMANA
2/7 al 8/7

- Dólar libre: 560 australes
  - Crecimiento en la semana: 7,7%
  - Crecimiento desde el comienzo del mes calendario: 7,7%
  - Crecimiento desde fines del Plan Primavera (3/2/89): 3.069%
- Dólar agropecuario: 203,7 australes (neto retenciones)
  - Crecimiento en la semana: 11,1%
  - Crecimiento desde el comienzo del mes calendario: 11,1%
- Dólar importaciones: 291 australes
- Brecha dólar libre / dólar agropecuario: 175%
- Tasa de interés call money Banco Privado: 84,36% mensual
- Tasa de interés Interempresario: 48,06% mensual
- Tasa de inflación del mes de junio (Indice combinado mayorista/minorista): 123,4%
- Máxima oscilación del dólar libre en la semana comparando valores de cierre: 14%

El penúltimo día hábil de gobierno radical se conocieron los índices de inflación de junio que, tal como se esperaba, marcaban un nuevo récord. Los precios al consumidor habían aumentado un 114,5% y los mayoristas un 132,3%. En doce meses, los precios minoristas habían crecido un 1.472% y los mayoristas 1.983%.

Los precios minoristas eran impulsados fuertemente por el rubro alimentos y bebidas, y en particular por la carne vacuna (algunos cortes habían triplicado su valor). Dentro de los precios mayoristas los nacionales no agropecuarios crecían un 138,5% y los importados un 98,8%, revirtiendo la tendencia de meses anteriores, en que los insumos importados impulsaban el alza en el índice. En seis meses, los importados habían crecido 1.357,4% y los no agropecuarios nacionales un 870,5%, y este tipo de distorsiones era lo que luego seguiría alimentando la inflación si la estructura de precios relativos con que se iniciara el nuevo plan no era satisfactoria.

Precisamente el acomodamiento de precios relativos era el hecho económico excluyente de esta última semana de economía radical. Los explícitos anuncios de un dólar alto al inicio del plan, de sustanciales aumentos de tarifas, y de probables congelamientos o acuerdos más o menos compulsivos, llevaron a todos los sectores económicos a buscar el mejor lugar posible en la línea de largada del nuevo plan. Las remarcaciones que se habían iniciado en la segunda quincena de junio no sólo no se atenuaban sino que se agudizaban en los días previos al cambio de gobierno.

En los bienes de consumo masivo se percibían notables diferencias de precios, no sólo entre comercios pequeños sino también entre supermercados. Las diferencias se notaban también entre productos similares de marcas líderes y aún para un mismo producto y un mismo negocio según el tamaño del envase se registraban disparidades insólitas.

Se realizaban muy pocas operaciones en artículos como electrónica, muebles o autos, debido a la "falta de precio". Los comerciantes se resistían a cerrar precios, y las propias empresas productoras preferían no vender o "vender caro" a la espera del nuevo plan. Quienes vendían eran los que habían conseguido alinearse con lo que se estimaba en ese momento un dólar alto, o sea entre 500 y 600 australes, y el resto seguía remarcando y reteniendo la mercadería para no arriesgarse a costos de reposición inabordables.

Esta oleada de remarcaciones previas a un congelamiento tenía muchos antecedentes en la economía argentina de los últimos años, pero nunca había alcanzado la intensidad de aquellos días. Eran frecuentes los incidentes con los clientes, las protestas masivas y hasta las escenas de histeria en los negocios. Faltaban muchos productos y otros duplicaban su valor de un día para el otro, no se aceptaban tarjetas de crédito y algunos negocios directamente cerraban sus puertas.

Ya antes de asumir, los futuros funcionarios probaban que el poder tenía también sabor amargo, y que las alianzas con el gran empresariado no eran incondicionales. Luego de maratónicas reuniones celebradas durante toda la semana para llegar a un acuerdo sobre precios, Roig admitía el viernes 7 de julio con inocultable desazón que el nuevo paquete de medidas no sería anunciado el domingo 9 de julio, aunque aclaraba que el atraso se debía a "razones de protocolo". Dos días antes había recibido la primera advertencia pública de la UIA. Su presidente, Gilberto Montagna, declaraba que "sería muy difícil un acuerdo de precios si se produce el fuerte aumento de tarifas y el tipo de cambio que se espera".

Sin embargo, las palabras de Montagna no desalentaban al presidente electo quien insistía en que los tiempos del voluntarismo habían quedado atrás, y que era hora de ser pragmáticos: "El capital no tiene patria, está donde tiene garantías. Por ahora Argentina no las ofrece, pero después del 8 de julio la cosa va a cambiar", decía Carlos Menem la primera semana de julio de 1989.

GRAN FINAL A TODA ORQUESTA

A esta última etapa de la economía radical sólo le quedaba el tiempo del balance. Prácticamente todos los indicadores habían vuelto a deteriorarse en el mes de junio. El salario real y la ocupación llegaban al punto más bajo desde diciembre de 1983; la producción industrial había descendido un 20% en noventa días, pero con un comportamiento dispar entre sectores: mientras que los dirigidos a la exportación se encontraban cerca del límite de su capacidad, los sectores vinculados al consumo interno mostraban una fuerte capacidad ociosa, y los agregados monetarios M_1 y M_4 caían fuertemente respecto del mes anterior y tenían los niveles más bajos desde 1985. Sin embargo, el deterioro fiscal había logrado detenerse en dicho mes de junio gracias a las retenciones y a los nuevos impuestos, y pese al retraso tarifario que se estimaba en un 50%, lo que hacía suponer que, con las nuevas tarifas, iba a ser posible cerrar el déficit operativo en los próximos meses. Esto no impedía considerar la gravedad del déficit cuasifiscal, ya que la deuda interna de u$s 3.000 millones (u$s 2.000 millones en indisponibles y encajes, y u$s 1.000 millones en títulos y bonos) implicaba un flujo de intereses y vencimientos de capital que el nuevo gobierno inevitablemente iba a tener que afrontar con prórrogas o licuaciones. También el dólar libre, luego de su nivel récord de mayo, había comenzado a caer en términos reales: era el comienzo de la recuperación de precios y tarifas que se consolidaría entre junio y julio.

Terminaban dos ciclos, uno dentro del otro: el ciclo Rodríguez y el ciclo de cinco años y medio de economía radical. La política económica de Jesús Rodríguez, explícitamente diseñada para administrar la crisis y respaldada con niveles ínfimos de poder, podía exhibir algunos modestos logros. Pero el ciclo económico radical terminaba prácticamente en un desquicio, tanto en el plano monetario y fiscal como en el plano de la economía real, y así se lo hacían notar a Alfonsín sus adversarios, que no eran pocos, en sus últimas horas de gobierno.

En una nota publicada en *Ambito Financiero* a fines de junio, Enrique Szewach, economista de FIEL, hablaba de la "herencia de Alfonsín" en estos términos: "La peor herencia de Alfonsín no se advierte en los números. El gobierno radical quemó todos los instrumentos de política económica imaginables, y destruyó la credibilidad interna y externa de la Argentina".

CAPITULO CINCO

La Economia Menem-Bunge y Born

PRIMERA ETAPA: TODO POR LA ESTABILIDAD

El 8 de julio de 1989 Carlos Saúl Menem asumió la presidencia de la nación en circunstancias económicas verdaderamente críticas. Una inflación proyectada al 200% para aquel mes era sólo el indicador más elocuente de una situación caracterizada por el agotamiento de las reservas internacionales, el absoluto desfinanciamiento del sector público, el nivel histórico más bajo de monetización, los salarios más reducidos de la década, la fuerte recesión en las actividades productivas no dirigidas a la exportación, el atraso tarifario, la absoluta pérdida de la disciplina tributaria en la sociedad, una estructura de vencimientos de la deuda interna que comprometía el frente fiscal, la paralización en las negociaciones por la deuda externa, etc.

Paradójicamente, la propia gravedad de la crisis hacía mayor el desafío del nuevo gobierno, pero a la vez le daba más libertad para implementar las medidas que fueran necesarias para superarla. Desde el punto de vista social, Menem tenía la ventaja de un triunfo reciente y contundente en una elección presidencial, y asimismo de una sociedad tan sensibilizada por el caos de la mini-hiperinflación vernácula que probablemente resistiría estoica al menos el tramo inicial del ajuste económico. En este sentido, había habido en la etapa inmediata anterior un verdadero "bombardeo psicológico" sobre la inevitabilidad intrínseca del alto costo social de todo proceso de ajuste económico, que había allanado el camino a las nuevas autoridades.

Pero también desde el punto de vista económico, la hiperinflación lleva implícitas las condiciones que facilitan su interrupción. A diferencia de los procesos inflacionarios crónicos que se realimentan con mecanismos de indexación automáticos que se extienden prolongadamente hacia el futuro, la alta imprevisibilidad de la hiperinflación destruye los contratos de largo plazo, facilitando una interrupción abrupta de la espiral de precios en la mayoría de los sectores de la economía.

Sobre este piso socioeconómico ambiguo, dramático pero en algún sentido promisorio como todo "volver a empezar", se asentarían los primeros meses del proyecto económico de Carlos S. Menem. El repaso de los primeros dos meses de política económica menemista (porque era obvio que el nuevo Presidente se había apartado de la tradición económica de su partido, aun de sus versiones más aggiornadas) permitiría constatar que junto a un plan de estabilización de corto plazo decididamente convencional (prácticamente un nuevo Plan Primavera) se lanzaron algunas medidas cuya efectiva implementación posterior podría conducir a cambios profundos en la economía, especialmente en lo que hacía a la definición del rol del Estado y al financiamiento de sus actividades. Estos avances iniciales eran, según Menem, sólo la introducción de un conjunto de "reformas estructurales" que conducirían a la Economía Popular de Mercado, cuyo contenido concreto no sólo implicaba redefinir el papel del Estado en la economía sino también llegar a un sistema más abierto al mundo, con mayor libertad de mercado y con mayor capacidad de generar trabajo y crecimiento que el actual.

Al cabo de aquellos primeros sesenta días de gobierno, existía sorpresa, polémica, escepticismo e ilusión en diferentes sectores sociales, y simultáneamente había señales claras de que se iniciaba el intento más profundo de cambiar la economía argentina en décadas.

EL PROGRAMA DE ESTABILIDAD DE CORTO PLAZO

El cuadro económico recibido por el nuevo gobierno requería un programa de estabilización que restableciera un control mínimo de las variables como paso previo al inicio de cualquier otro intento de transformación más profundo. Siguiendo esta lógica, el equipo económico implementó un ajuste convencional que se fundamentaba en: a) un ajuste fiscal y monetario; b) un acuerdo de precios, con congelamiento de tipo de cambio y tarifas; y c) un control salarial, combinado con un nada ortodoxo intento de separar de la conducción de la CGT a su secretario general, Saúl Ubaldini, considerado probablemente como un escollo a la política de ingresos que requería tanto el programa de estabilización de corto plazo como el plan económico de mediano y largo plazo.

a) Ajuste fiscal y monetario

Luego de fijar el tipo de cambio oficial en 650 australes, el gobierno anunció retenciones de 30 y 20% a las exportaciones agropecuarias e industriales respectivamente. Simultáneamente se dispuso un aumento del 600% en las naftas y otros combustibles líquidos y fuertes incrementos en las tarifas. Los aumentos en gas y electricidad oscilaban entre 200 y 500%, y las subas en teléfonos y obras sanitarias promediaban 480%.

Pese a los importantes incrementos en los ingresos que significaron estos reajustes, el sector público siguió registrando déficit operativo en julio y agosto, y las empresas, las provincias y el sistema de seguridad social mantuvieron su dependencia financiera de la Tesorería. Recién en setiembre se estimaba que el gobierno podría neutralizar el déficit operativo en forma global, pero difícilmente el nivel tarifario permitiría suspender (como se pretendía) las remesas de la Tesorería a las empresas públicas, y asimismo se anunciaba, con realismo, que ciertas provincias seguirían recibiendo aportes extraordinarios más allá de setiembre. La razón principal de la dificultad en cerrar el déficit operativo era el retraso en recuperar los niveles históricos de recaudación tributaria.

Las mayores dificultades para cerrar las cuentas fiscales no provenían, sin embargo, del déficit operativo, sino de los vencimientos de títulos de la deuda interna y del déficit cuasi-fiscal (básicamente intereses sobre encajes y depósitos indisponibles). Comparativamente, en el mes de agosto el déficit operativo alcanzó 2.250 millones de australes, los vencimientos por títulos de la deuda pública interna 83.780 millones de australes (se había realizado una importante refinanciación mediante el Bono de Consolidación que traspasaba la mayoría de los vencimientos al año siguiente), y el déficit cuasi-fiscal 194.000 millones de australes. Esta última cifra resultaba abrumadora comparada con la recaudación total del Tesoro en el mismo mes, que apenas superaba los 210.000 millones de australes.

Pero en los dos primeros meses del plan la principal dificultad en el manejo monetario no se originó en el mencionado desequilibrio en las cuentas públicas sino en un sector externo fuertemente expansivo. El crecimiento de las reservas desde U$S 100 millones el 1 de julio a U$S 1.500 millones a fines de agosto, originó una expansión monetaria que sólo en agosto alcanzó 324.000 millones de australes.

La concurrencia de estos factores (déficit opertivo, déficit cuasifiscal, vencimiento de la deuda interna y un sector externo expansivo) implicó para las nuevas autoridades dificultades iniciales para mantener en el sector monetario un nivel de tasas de interés compatible con el plan de ajuste. Ya en la primera semana las tasas descendieron hasta niveles de un dígito y, al no haber un aumento correlativo en la demanda de dinero esta excesiva liquidez repercutió sobre el tipo de cambio que subió hasta un máximo de 740 australes el 17 de julio. El BCRA reaccionó comenzando a colocar letras telefónicas como forma de absorber fondos e inducir un alza en las tasas de interés. Inicialmente, la tasa de corte de las letras fue 9,5% mensual, pero ascendió gradualmente hasta un 17% el 21 de julio para retomar una muy suave pendiente descendente hasta el 10% a comienzos de setiembre, cuando la estabilidad mostraba síntomas de cierta consolidación.

El nivel de la tasa de interés adecuado a un proceso de estabilización posinflacionario fue motivo de controversia no sólo en ámbitos académicos y empresarios, sino también entre el BCRA y ciertos sectores del Ministerio de Economía. En este debate no faltaron incluso las opiniones de extranjeros como Jeffrey Sachs y Rodiger Dornbush. El primero no dudó en afirmar el 21 de julio que las tasas debían ser altas (y los salarios bajos) para inducir a las empresas a la liquidación de stocks. En el mismo sentido, Dornbush aseguró que "las tasas debían ser altas pese a la deuda interna: el gobierno está alquilando tiempo".

En realidad, el propio presidente del BCRA, Javier González Fraga, creía que las tasas debían tener un nivel inicial de alrededor de 14-15%, y que la baja de la primera semana había sido un error. Cuando era acusado de que ese nivel de tasas de interés era recesivo, contestaba que era el nivel más bajo de la historia luego de una hiperinflación y que descenderían cuando se completara el ajuste fiscal.

La preocupación por las altas tasas de interés no sólo provenía de sus implicaciones recesivas sino también de sus efectos sobre el crecimiento de la deuda interna y el déficit cuasifiscal. El gobierno estaba en un dilema clásico, según el cual si bajaba la tasa y este descenso no se acompañaba de una fuerte monetización, esto podía repercutir en precios y dólar. Contrariamente, si para controlar el dólar y los precios subía la tasa, aumentaba el déficit cuasifiscal. Transitar por un delicado sendero de equilibrio no sólo implicó para el BCRA algunos entredichos con industriales y funcionarios de Economía preocupados por reactivar, sino también un aumento explosivo de la colocación de Letras de Tesorería que a fines de agosto alcanzaba al billón de australes.

Luego de la licuación parcial de la deuda pública interna producido principalmente en mayo y junio, el nivel de ésta a fines de agosto había aumentado significativamente. Este incremento no sólo se originaba en la colocación de letras, sino también en la devaluación del dólar oficial a inicios del plan, que obviamente revalorizó todos los títulos que se cotizaban de acuerdo a esta variable. Según un estudio de Miguel A. Broda, en agosto el stock de deuda interna total (incluyendo tanto títulos en australes como pasivos monetarios remunerados) ascendía a U$S 5.579 millones (valuado en dólares libres), equivalente a 9,57% del PBI. Este nivel era muy inferior al de comienzos de 1989, pero equivalente al nivel que hubo entre fines de 1986 y comienzo del Plan Primavera en agosto de 1988. El nivel de deuda no sólo preocupaba por su flujo de intereses y vencimientos, sino también porque parecía alcanzarse un nuevo techo en esta vía de financiamiento para el Estado, cuando a su vez el financiamiento gratuito, o sea el aumento de la demanda de dinero, no mostraba síntomas de fluidez que permitieran anticipar una provisión importante de fondos al sector público. Luego de su mínimo histórico de 1,6% del PBI en julio, M_1 se estimaba en agosto en el orden del 1,9%.

La obtención de una estabilidad fiscal y monetaria sólida, luego de los primeros sesenta días de gobierno, parecía requerir como condición necesaria y con relativa urgencia los tantos veces intentados cambios de fondo en la estructura tributaria, de subsidios y de gastos públicos. Estas modificaciones serían provistas, según la lógica del gobierno, con la nueva legislación que intentaba febrilmente obtener en esos días. Los plazos para las alquimias fiscales y monetarias parecían acortarse inexorablemente.

b) Acuerdo de precios y congelamiento de tipo de cambio y tarifas

No sólo el aumento en la demanda de dinero se demoró en llegar; también el muy preanunciado acuerdo de precios con las empresas líderes tardó en producirse, y los costos de esta demora fueron significativos.

La concreción del acuerdo fue evidentemente más dificultosa de lo que las nuevas autoridades estimaron inicialmente. En un primer momento, el gobierno solicitó a las empresas retrotraer los precios al nivel que tenían el 3 de julio. Indudablemente, iba a ser difícil imponer esta postura, por más grande que fuera el "colchón" ya formado, cuando el dólar había aumentado más del 100%, las naftas 600% y las tarifas entre 200 y 500%. Al advertir esta nueva estructura de precios (que no excluía cierta incertidumbre pues los aumentos tarifarios a grandes consumidores serían mucho mayores al promedio), los empresarios no sólo no retrotrajeron sus precios sino que los siguieron aumentando hasta el día mismo de la firma del acuerdo, el 17 de julio, y probablemente luego de esa fecha.

El acuerdo, de cuya dificultad para alcanzarlo fue crudo testimonio la muerte el 14 de julio del ministro de Economía de

Menem, Miguel Roig, fue firmado entre el gobierno, entidades empresarias de primer grado y un número de empresas líderes que inicialmente se creía llegarían a quinientas, pero que finalmente fue bastante menor. En lo esencial, se establecía sin plazo de finalización que las empresas armarían sus precios de acuerdo a la evolución histórica de sus costos (a partir de una base fijada a inicios del Plan Primavera), al resultado se le deduciría un 20% y el valor resultante no se modificaría mientras se mantuviera la estabilidad del tipo de cambio, las tarifas y un nivel de tasas de interés "en línea con estas variables". La resolución Nº 3 de la Secretaría de Comercio Interior, que definía los parámetros específicos para el cálculo de los precios a partir de la estructura de costos, establecía un techo de 160% en el reconocimiento de mayores costos salariales durante el mes de julio, lo que indudablemente condicionaría las negociaciones salariales posteriores.

Aunque los índices de aumento de precios al consumidor bajaron sustantivamente de 200% en julio, a 38% en agosto y a 9,4% en setiembre, los deslizamientos que continuaron durante todo el mes de julio hicieron necesaria una nueva advertencia del presidente Menem a fines de ese mes y, a principios de setiembre, movimientos significativos en los precios de frutas, verduras y carne volvieron a preocupar a los responsables del plan económico.

El congelamiento del tipo de cambio era otro elemento central para la estabilidad de precios. A favor de los reiterados anuncios previos al lanzamiento del plan en los que se anticipaba un dólar inicial muy alto, y de la fluidez comercial y el significativo incremento de las reservas en las primeras semanas del mismo, los mercados operaron inicialmente con el convencimiento de que el dólar de 650 australes era efectivamente elevado. Sin embargo, al conocerse la magnitud de la remarcación de precios previa al acuerdo y el aumento tarifario para grandes consumidores, ya a fines de julio comenzó a hablarse del sesgo anti-exportador del plan o de atraso cambiario tanto para el sector industrial como para el agropecuario.

Muy preocupado el gobierno por el efecto que estas versiones pudieran tener sobre la estabilidad del plan, ya el 12 de agosto en el discurso de apertura de la Exposición de Ganadería, Agricultura e Industria en la Sociedad Rural, el presidente Menem anunciaba rebajas de hasta 12 puntos porcentuales en los derechos de exportación de diferentes productos agropecuarios, a efectivizarse a partir de marzo del año siguiente al iniciarse las cosechas. Asimismo, en simbólico paralelo con José Luis Machinea (ex presidente del BCRA durante el gobierno radical), el viceministro de Economía Orlando Ferreres aseguraba que no había atraso cambiario, que no habría devaluación, y que las versiones eran impulsadas por lobbies que buscaban obtener ganancias especulativas.

Pero la tensión con los exportadores industriales era mayor que con los agropecuarios. Importantes sectores de la industria tradicional observaban con cierto recelo la política económica del ministro Rapanelli, sobre quien creían que tenía preferencia excluyente por la exportación agropecuaria y petrolera. La tensión se agravó al anunciarse la liberación de la importación de automóviles de alto valor (aunque con una protección efectiva del 200%), la suspensión de las prefinanciaciones y la implantación de impuestos a los combustibles en el sector petroquímico. La presión más o menos abierta de los sectores afectados hizo que finalmente la suspensión de la prefinanciación quedara acortada y que se abandonara el proyecto de liberar la importación de ciertos automóviles.

Sin embargo, las diferencias con los exportadores siderúrgicos y petroquímicos continuaron y tuvieron su expresión más clara la última semana de agosto, cuando Acindar anunció la suspensión por quince días de cinco mil operarios, que coincidiría cronológicamente con la celebración del Día de la Industria el 2 de setiembre. Esta empresa aseguraba que con la ecuación económica resultante del tipo de cambio efectivo, el alto valor del dólar de importación y las tarifas reajustadas, sus exportaciones no eran rentables. Con la prioridad excluyente colocada en la estabilidad del plan, el Día de la Industria el presidente Menem anunció reducciones en general, aunque más pronunciadas en los sectores petroquímicos, siderúrgico, celulósico y papelero, entre otros, las que a fines de 1989 alcanzarían un nivel de 11% y que se eliminarían totalmente en un año. El discurso presidencial, absolutamente focalizado en el impulso a la industria exportadora y sin alusiones a la reactivación o a la expansión del mercado interno, no despertó en la audiencia la euforia que el presidente había producido en la Sociedad Rural. Era evidente que amplios sectores tenían dudas sobre su inclusión en el plan económico en general y en el perfil de industria que se buscaba en particular.

El nivel del tipo de cambio volvió a ser en el mes de agosto objeto de análisis y controversias, como en los tiempos del Plan Primavera, no faltando las opiniones de economistas extranjeros como R. Dornbush, quien aconsejó comenzar el ajuste de su valor mediante el sistema *"crawling peg"* a partir del mes de octubre y descartó la factibilidad de implantar una flotación libre con un nivel de reservas como el que contaba nuestro país.

Diversos estudios sobre el nivel del dólar de agosto arribaban a conclusiones cuantitativamente disímiles, aunque podía observarse un consenso tendencial en la mayoría de los mismos. En relación a tipos de cambio promedio de mediados de la década, véase el cuadro siguiente:

TIPOS DE CAMBIO: COMPARACIONES CLAVES(1)

	Período	Tipos nominales Equivalente nominal Set. 89 (Australes por u$s)				Brechas (%)			
		Comer-cial	Para-lelo	Efectivo de Export. .Indust.	Efectivo de Export. Agropec.	Comer-cial / Paridad	Para-lelo / Paridad	Efectivo de Export. Indust./ Paridad	Efectivo de Export. Agropec./ Paridad
	Promedio 1982-1988	540,150	700,790	559,530	491,760	2,78	33,34	6,46	-6,43
GRINSPUN	Enero 1984- Mayo 1985	542,160	728,460	548,930	499,560	3,16	38,61	4,45	-4,95
PLAN AUSTRAL	Junio 1985- Julio 1986	566,830	631,420	563,160	442,730	7,85	20,14	7,15	-15,76
POST-AUSTRAL	Agosto 1986- Set. 1987	496,090	622,100	553,800	441,270	-5,61	18,37	5,37	-16,04
PLAN OCTUBRE	Oct. 1987 Julio 1988	544,810	688,720	612,910	519,480	3,66	31,05	16,62	-1,16
PLAN PRIMAVERA	Agosto 1988- Enero 1989	544,010	539,860	557,980	427,120	3,51	2,72	6,17	-18,73
HIPER-INFLACION	Abril 1989- Junio 1989	991,470	1346,710	807,140	693,520	88,65	156,24	53,58	31,96
	Setiembre 89 Paridad Promedio Setiembre	650,000	675,000 525,560	580,060	386,560	23,68	28,43	10,37	-26,45

(1) **Fuente:** CARTA ECONOMICA, set. 1989.

• Tanto el tipo de cambio nominal de 650 australes como el tipo de cambio efectivo de importación eran sustancialmente mayores.

• El tipo de cambio efectivo de exportación industrial era levemente mayor. Sin embargo, con base 1985 = 100, mostraba un fuerte rezago respecto de tarifas e insumos importados y una importante apreciación respecto de los salarios.

• El tipo de cambio efectivo de exportación agropecuaria era significativamente menor.

Estas conclusiones eran especialmente relevantes en una economía tan sensibilizada por la experiencia del Plan Primavera, y para algunos analistas preanunciaban probables complicaciones en el plan hacia fines de año, de no obtenerse niveles de inflación ínfimos en el último trimestre.

Además del acuerdo de precios y del congelamiento del tipo de cambio, el gobierno había reajustado y congelado las tarifas de los servicios públicos como parte de su estrategia de estabilización. Con las tarifas ocurrió algo similar que con el nivel del tipo de cambio, en el sentido que la magnitud del reajuste inicial fue evaluada como suficiente para que sus valores estuviesen "adelantados" y así proveer abundante financiamiento y poder resistir un congelamiento prolongado.

Aumentos promedio del 500% en las cuentas de teléfono y agua y del 200 a 500% en gas y electricidad, impactaron fuertemente en la opinión pública. A esto se agregó el precio de la nafta, que había sido multiplicado por siete, y el tradicional aumento de los consumos a comienzos del invierno. El efecto combinado de estas medidas y circunstancias hizo que muchos particulares recibieran facturas hasta doce veces superiores a las del bimestre anterior, derivando en uno de los hechos más irritativos del nuevo gobierno en sus primeros dos meses. Tomando conciencia de la impresionante incidencia que las nuevas tarifas tenían sobre niveles salariales tan rezagados, se dispuso (pese al fastidio del ministro de Economía) el pago en dos cuotas sin reajuste de las facturas de gas y electricidad del mes de julio, y también de ciertas facturas de OSN. Precisamente el caso de Obras Sanitarias era extremo, ya que según el nuevo interventor, la "irresponsabilidad de la administración anterior", había hecho necesario efectuar ajustes tarifarios de hasta 7.280%. El ejemplo del Luna Park, cuya facturación se multiplicó por 33 en el bimestre tuvo particular difusión, pero era sólo uno de los numerosos cines, teatros, clubes, etc. que se encontraron con niveles tarifarios que en algunos casos los ponían al borde de la suspensión de sus actividades.

Pero pese a la magnitud del ajuste tarifario, las empresas públicas siguieron requiriendo fondos de la Tesorería y, según análisis como el realizado por FIEL, el nivel de las tarifas del mes de agosto era apenas superior al de diciembre de 1988. Como un perro que intenta morderse la cola, precios por un lado, y tarifas y tipo de cambio por el otro, habían estado corriendo sin lograr distanciarse significativamente unos de otros. En el medio de esta carrera, el precio que sí se había rezagado era el salario, que aportaba de este modo la parte sustancial del financiamiento del ajuste.

c) Control salarial y sindical

La presión para limitar los ajustes salariales previos al congelamiento y el intento de desplazar a Saúl Ubaldini de su puesto en la CGT, completaban el programa de estabilización de corto plazo.

Al lanzarse el plan, se otorgó una suma fija de 8.000 australes y un anticipo de 30.000 australes a cuenta del sueldo de julio, y se dispuso mantener las paritarias y el resto de los mecanismos institucionales de negociación salarial. El 12 de julio se convocaron las paritarias y el resto de las comisiones encargadas de definir los ajustes salariales del trimestre julio, agosto y setiembre. El límite de 160% que había impuesto el gobierno en la fórmula de reconocimiento de mayores costos salariales con obvia complacencia empresaria, operó como previsible restricción a los aumentos que obtendrían los sindicatos. El Ministerio de Trabajo y las organizaciones patronales aplicaron toda la presión disponible para que este límite no fuera superado. Sin embargo, el forcejeo en las tres semanas que transcurrieron a partir del 12 de julio fue intenso. La UOM, liderada por Lorenzo Miguel, solicitó inicialmente un incremento del 200% para julio y el reconocimiento de eventuales adicionales en agosto y setiembre si la inflación seguía en dos dígitos. El resto de los gremios observaba asimismo esta "negociación testigo" para evaluar las posibilidades de sus propias negociaciones, pero con el correr de los días las firmeza inicial de la UOM y otros grandes gremios se fue debilitando. Finalmente, la mayoría de los gremios acordaron incremento de entre 160 y 191%, con lo que no se cubría el incremento del costo de vida de julio, y no se percibirían ajustes por la inflación de agosto y setiembre pese a que el índice para el primero de estos meses se proyectaba en 38%. La ilusión monetaria que producía el multiplicar el salario casi por tres, declaraciones de funcionarios mostrando a los sindicalistas como intransigentes o poco colaboradores con la emergencia y promesas de recuperación salarial posterior, facilitaron la nueva resignación salarial.

Si el gobierno utilizó el mes de julio para contener los aumentos salariales, en el mes de agosto se inició la "operación Ubaldini". Luis Barrionuevo, sindicalista allegado del Presidente, con la apoyatura del ministro de Trabajo Jorge Triacca, de los sindicalistas José Rodríguez y Armando Cavalieri, criticó públicamente y solicitó la renuncia del secretario general de la CGT sin argumentos claros, invocando la necesidad de una "nueva etapa" en el sindicalismo. Para sorpresa de muchos, Ubaldini decidió resistir tanto las agresiones públicas como las seductoras ofertas de puestos en el exterior que recibió, por lo que la disputa alcanzó puntos de tensión donde no faltaron una bomba que destruyó el automóvil del secretario general o amenazas de fractura de la central sindical. Sin embargo, con el correr de los días, la sólida apoyatura brindada a Ubaldini por Miguel e Ibáñez, suavizó la fuerza de la embestida y tal vez convenció al Presidente de que aún no era la oportunidad del reemplazo. A dos meses de iniciado el gobierno, sin embargo, el episodio Ubaldini, así como también la dureza con que el gobierno respondió a las primeras huelgas importantes (maestros y señaleros de ferrocarriles), fueron síntomas inequívocos de que Menem trataría de acortar el poder que tradicionalmente tenían los sindicalistas en los gobiernos justicialistas.

A LA BUSQUEDA DE LAS REFORMAS ESTRUCTURALES

Mientras el programa de estabilización facilitaba la recuperación de un orden económico mínimo en el corto plazo, el gobierno trabajó intensamente para obtener la sanción de tres leyes a las que consideraba los instrumentos centrales para producir cambios de fondo en la economía: Reforma del Estado, Emergencia Económica y Reforma Tributaria.

Convencido de que el ajuste convencional no garantizaba una estabilidad duradera, y que ésta era la precondición del crecimiento económico, el nuevo gobierno empleó todos sus recursos en obtener una pronta sanción de estos instrumentos legales. Sin embargo, y pese a que podía advertirse un importante grado de consenso en la clase política sobre el contenido general de las reformas, los debates no excluyeron roces no sólo entre radicales y peronistas sino también entre las dos Cámaras del Congreso de la Nación. Pero las discusiones no impidieron la aprobación, en los primeros sesenta días de gobierno y sin modificaciones sustanciales, de los proyectos de ley de Reforma del Estado y de emergencia Económica, y se preveía la aprobación de la Reforma Tributaria durante el mes de octubre.

Un repaso general de estas tres normas, como así también de los primeros decretos de privatización, permite tener una idea de la magnitud del cambio que se posibilitaba, aunque, como en anteriores ocasiones, podía preverse que en la etapa de implementación es donde estos intentos de reforma encontrarían los mayores escollos.

a) Ley de Reforma del Estado

El detalle de algunas disposiciones fundamentales de esta ley aprobada a mediados del mes de agosto por el Congreso de la Nación, permite apreciar sus alcances:

• Se autoriza al PEN a intervenir todo ente, empresa o sociedad pública por un lapso de ciento ochenta días, prorrogable por el mismo término. La función del interventor es proceder a la reorganización del organismo, para lo cual puede despedir personal que cumpla funciones de responsabilidad y conducción.

• Se autoriza al PEN a transformar la tipicidad jurídica de toda empresa o sociedad pública, como asimismo disponer la creación de nuevas empresas sobre la base de la escisión, fusión, extinción, transformación o liquidación de las existentes, reorganizando, redistribuyendo y reestructurando cometidos, etc.

• Las empresas o sociedades públicas, como sus actividades, podrán ser privatizadas si el Congreso de la Nación las declara previamente "sujetas a privatización".

• Es facultad del PEN proceder a la privatización total o parcial, la concesión total o parcial de prestaciones u obras o a la liquidación de las empresas y sociedades cuya propiedad pertenezca total o parcialmente al Estado y que haya sido declarada "sujeta a privatización". La autoridad de aplicación de la ley es el ministro en cuyo ámbito se encuentre el ente a privatizar.

• La privatización podrá realizarse por alguna de las siguientes modalidades: venta de acciones, venta de activos, locación con o sin opción a compra, administración con opción a compra o concesión, licencia o permiso.

• Las modalidades señaladas se ejecutarán por alguno de los prodedimientos siguientes: licitación, concurso o remate público con o sin base, venta de acciones o contratación directa (sólo en caso de acreedores, usuarios o empleados del ente).

• La privatización requerirá la previa tasación por organismo público, la que tendrá carácter de presupuesto oficial.

• El Tribunal de Cuentas de la Nación y la Sindicatura General de Empresas Públicas tendrán intervención previa a la formalización de la privatización. De no haber objeciones en un plazo de 10 días hábiles, se prosigue el trámite.

• Algunas de las empresas sujetas a privatización: ENTel (concesión o privatización), Aerolíneas Argentinas (privatización parcial o total), ELMA (privatización parcial o total), YCF (privatización parcial, concesión), Dirección Nacional de Vialidad (concesiones parciales o totales de reparación y mantenimiento de la red troncal vial y obras de infraestructura), Ferrocarriles Argentinos, transporte de pasajeros y carga e infraestructura (concesión), Encotel (concesión), YPF (concesión, asociación y/o contratos de locación en áreas de exploración y explotación), Canales 11 y 13 de televisión y Radios Belgrano y Excelsior (privatización) y Petroquímica Río Tercero, Polisur, Monómeros Vinílicos, Petropol e Induclor (privatización).

La autorización o no de la aplicación del mecanismo de capitalización de la deuda externa en el proceso de privatización fue el punto de mayor controversia en el debate para la aprobación de la Ley de Reforma del Estado. Este mecanismo era resistido no sólo por los diputados de la UCR sino también por numerosos diputados justicialistas. El grado de tensión entre las dos Cámaras del Congreso alcanzó tal nivel que el diputado Jarovslasky llegó a proponer que en la reforma constitucional se eliminara a la Cámara de Senadores. Sin embargo, los senadores tuvieron éxito en manejar reglamentariamente el debate de manera de lograr que la versión dfinitiva de la ley no contuviera ninguna restricción explícita a la utilización de la capitalización.

Hubo otras disposiciones de la ley que merecieron objeciones, especialmente de los diputados radicales, pero éstas no lograron modificar la versión original. La oposición puso énfasis en los siguientes puntos: otorgar mayor control parlamentario en el proceso de privatización, sugiriendo una ley por cada sociedad o empresa; excluir la posibilidad de despidos en los entes intervenidos; excluir a las empresas petroquímicas de la lista de "sujetas a privatización" y obligar a los nuevos titulares de las mismas o a los concesionarios a proveer servicios en zonas de baja rentabilidad.

La versión definitiva de la ley tenía otra disposición que tendría gran repercusión sobre la vida cotidiana de la sociedad, y que en anteriores oportunidades había sido resistida, pero que en esta ocasión logró ser impuesta por los lobbies interesados: se eliminaba la restricción para el acceso a la propiedad de los medios áudiovisuales a los propietarios de medios gráficos.

b) Ley de Emergencia Económica

Esta segunda ley, de las tres que el gobierno consideraba indispensables para impulsar un proceso de transformación estructural, fue aprobada a principios del mes de setiembre. Sus elementos claves son:

• Se suspenden por ciento ochenta días, lapso prorrogable por idéntico período, todos los subsidios y subvenciones, y los beneficios derivados de los regímenes de promoción industrial y minera.

• Durante ciento ochenta días los reintegros, reembolsos y

devoluciones de tributos serán abonados con bonos de crédito que podrán ser aplicados luego al pago de derechos de importación o exportación.

• Se faculta al PEN a disponer la desafectación de la recaudación de distintos fondos con destinos específicos, entre los cuales se destaca el Fondo Nacional de la Energía. El 50% de la recaudación se dirige a rentas generales durante 180 días, y luego el 20%, hasta el 31 de diciembre de 1990.

• Queda suspendido el régimen de Compre Nacional, y el PEN deberá remitir dentro de los ciento ochenta días un proyecto de ley que sustituya el régimen actual.

• Durante ciento ochentas días no habrá ingresos de personal en el sector público excepto en los organismos en que haya vacantes. Asimismo, se autoriza a dar de baja a funcionarios de las dos mayores categorías que no hayan ingresado por concurso, y se eliminan en general los límites máximos en las indemnizaciones por despidos.

• A partir del 1 de agosto queda suspendido el denominado "enganche salarial", por lo cual en lo sucesivo las remuneraciones de un cargo o categoría no podrán ser ajustadas en base a la evolución de cargos o categorías superiores. También se suspenden, pero por ciento ochenta días, los regímenes salariales del personal de los poderes Legislativo y Judicial.

• En relación a las obligaciones tributarias con la DGI, se dispone la posibilidad de imponer prisión de entre quince días y seis años a quienes: omitan inscribirse, omitan declaraciones en sus ingresos, lleven un doble juego de libros, no depositen fondos recaudados como agentes de retención, simulen inversiones promocionadas o sobrefacturen y/o subfacturen importaciones y exportaciones.

• Se faculta al PEN a dictar las nomas necesarias para eliminar el régimen de nominatividad obligatoria de las acciones.

• Se crea una comisión que en treinta días deberá enviar al

Congreso un proyecto de ley modificatoria de la Carta Orgánica del BCRA que garantice entre otros principios los siguientes: otorgarle la independencia funcional necesaria para cumplir su primordial misión de preservar el valor de la moneda, y establecer que el BCRA no financiará directa ni indirectamente al gobierno nacional ni a las provincias más allá de los límites que establezca la nueva carta orgánica.

Probablemente no fueron los desacuerdos de fondo entre radicales y peronistas los que hicieron al debate para la aprobación de esta ley intenso y prolongado, sino su superposición cronológica con las negociaciones para la elección del senador en el colegio electoral de la Capital Federal.

El proyecto original del PEN tuvo rápidamente su primera derrota a manos del siempre sincronizado equipo que formaban el lobby de las empresas promocionadas y los senadores de las provincias del Acta de Reparación Histórica (Catamarca, La Rioja, San Juan y San Luis). A cambio de hacerse cargo de los pagos de la muy reducida nómina salarial durante la emergencia, de la que inicialmente se iba a hacer cargo el gobierno, las empresas lograron transformar la supresión total de los beneficios promocionales en una reducción del 50%.

Al llegar a Diputados, tomó estado público que el proyecto, en su artículo 58, contemplaba la posibilidad de regularizar la situación para aquellos deudores impositivos que tuvieran juicios o querellas impulsados por el Estado por evasión u otras infracciones y que se presentaran voluntariamente. La oposición de la Cámara Baja, pero especialmente la enorme repercusión pública de una disposición tan poco defendible, hizo desistir a los senadores de la iniciativa.

La oposición de la Cámara de Diputados a otras dos disposiciones no corrió la misma suerte. Los diputados radicales se opusieron a la eliminación del "enganche salarial" y a la prescindibilidad en las dos categorías mayores del escalafón (donde probablemente predominaban funcionarios designados por su administración) pero, al no obtener los dos tercios luego de la insistencia de los senadores, no pudieron imponer su postura.

Luego de aprobada, la ley tenía preparada una desagradable sorpresa para los empresarios: la eliminación del tope a las indemnizaciones por despidos, la que fue juzgada como una decisiva "limitación a la inversión y a la llegada de capitales externos". El propio ministro Rapanelli no dudó en tomar partido, manifestándose abiertamente en contra de la disposición y solicitando el veto presidencial, que finalmente no se produjo.

c) *La Reforma Tributaria*

La tríada de los cambios estructurales se completaba con la Reforma Tributaria. El objetivo central de la misma era la elevación de la recaudación del 16% al 25% del PBI, y en su versión prácticamente definitiva su instrumentación se asentaba en la simplificación del sistema actual reduciéndolo a cinco tributos principales (IVA generalizado, rentas personales y empresarias, consumos específicos y débitos bancarios) más el mantenimiento de los tributos de Seguridad Social, Aduana y algunos provinciales y municipales.

• *IVA generalizado*: su generalización contemplaría como únicas excepciones servicios como publicidad y seguros y los brindados por profesionales independientes. Su alícuota sería del 15% y la recaudación esperada alcanzaba a seis puntos del PBI.

• *Renta personal*: habrá tres categorías, con alícuotas fijas en principio en 10, 20 y 30%. La única excepción contemplada es la aplicación de deducciones o de un mínimo no imponible para familias numerosas.

• *Renta presunta o activos productivos de las empresas*: se aplicará sobre los activos de todo tipo de empresa, sin deducción de los pasivos, y su alícuota oscilaría entre 1 y 1,5%. No se ha definido si será o no anticipo del impuesto a las ganancias.

• *Consumos específicos*: constituye un adicional sobre el IVA a ser aplicado a artículos como cigarrillos, bebidas alcohólicas automotores, cubiertas, embarcaciones livianas, etc.

• *Débitos bancarios*: se mantendría este impuesto por su fácil percepción, aunque su alícuota sería reducida del 7 al 3 por mil.

Los tributos referidos a la Seguridad Social serían mantenidos con una estructura similar, aunque se esperaba reducir la evasión con las nuevas penas introducidas por la Ley de Emergencia Económica. En el área de la Aduana, además de las retenciones a las importaciones y exportaciones, se recaudaría un impuesto único a todas las importaciones con una alícuota del 10%. Finalmente, no se modificarían los tributos provinciales y municipales sobre los automotores, a los ingresos brutos, a los sellos e inmobiliario.

Esta ambiciosa Reforma Tributaria recibió algunas objeciones antes de ser aprobada. Respecto del IVA generalizado, se puso en duda la capacidad de la DGI para su administración, considerando que la Reforma implicaría controlar a un millón de contribuyentes. La recaudación del IVA en 1988 alcanzó, se argumentaba, al 1,9% del PBI, y parecía utópico triplicar sus dividendos a partir de una situación de postración como la que atravesaba la DGI.

El impuesto a la renta personal afectaría seriamente los ingresos de sectores profesionales medios fuertemente castigados en los últimos años. Asimismo, la gran diferencia entre las alícuotas en las diferentes categorías induciría a falsear declaraciones. Respecto del impuesto a la renta empresaria, se objetaba la posibilidad de que sea considerado como un anticipo a cuenta del impuesto a las ganancias, porque volvería a complejizarse precisamente lo que se deseaba simplificar.

Finalmente, algunos analistas consideraban incompatible la implantación de un impuesto único a la importación con una política arancelaria que tendía a una apertura racional y gradual de la economía.

d) Los primeros decretos de privatización

Aprobada la Ley de Reforma del Estado, el gobierno decidió comenzar el proceso privatizador con dos empresas de alto valor simbólico: ENTel y Ferrocarriles Argentinos, que ya en el mes de setiembre contaban con las correspondientes normas legales.

- Decreto Plan Telefónico

• Los pliegos de Bases y Condiciones para la privatización (que debe confeccionar el MOSP) deberán estar aprobados por el PEN antes del 31 de diciembre de 1989. Asimismo, las adjudicaciones de las respectivas licencias se efectuarán antes del 28 de junio de 1990, previo concurso público.

• Para facilitar la privatización, el PEN decidirá en oportunidad de aprobar los pliegos "sobre la asunción de los pasivos de la empresa".

• Se adoptará otorgar a los adjudicatarios, como máximo, los primeros cinco años de exclusividad en la prestación de los servicios telefónicos. Una vez finalizado el plazo de exclusividad, la prestación quedará en régimen de competencia abierta sin límite de tiempo y en las mismas condiciones del llamado inicial.

• Se exigirá a los adjudicatarios que operen en régimen de

exclusividad un plan mínimo de servicios a prestar, como así también índices mínimos de calidad y eficiencia.

• El pliego de bases y condiciones definirá el método de conformación de las tarifas, "las que deberán ser justas y suficientes para sufragar los costos de una administración eficiente y proveer una utilidad razonable". La autoridad de aplicación tendrá a su cargo la verificación de las tarifas.

- Decreto FFCC

• Se ordena a la Intervención en Ferrocarriles Argentinos racionalizar los gastos de explotación; racionalizar los servicios de trenes de pasajeros interurbanos y los urbanos y suburbanos en horas nocturnas; impulsar la licitación inmediata para la explotación del ramal Borges-Delta; llamar a licitación nacional e internacional dentro de sesenta días para la implementación del sistema de expendio y control de boletos automáticos en los servicios urbanos y suburbanos, y vender, alquilar u otorgar en concesión los inmuebles innecesarios para la explotación ferroviaria.

• Se dispone la Concesión Integral de Explotación como modalidad de privatización. Según esta modalidad la concesionaria asume, en el sector objeto de la contratación, la explotación comercial, la operación de trenes y atención de estaciones, el mantenimiento de material rodante, infraestructura y equipos y todas las demás actividades complementarias y subsidiarias.

• Se llama a licitación pública nacional e internacional para la concesión de los servicios de pasajeros de los corredores Buenos Aires-Mar del Plata y Buenos Aires-Rosario, y para la concesión de la explotación del corredor Rosario-Bahía Blanca.

- Otros decretos

Además de las referidas a ENTel y Ferrocarriles, antes de fianlizar el mes de setiembre se habían lanzado las normas para privatizar los canales de televisión 11 y 13 y para aumentar la participación privada en la actividad petrolera. El decreto para la privatización de los canales incluía no sólo el derecho a la frecuencia sino también a los edificios y la tecnología, y fue resistido por sectores sindicales disconformes con la participación que le asignaba a los empleados una vez formalizada la privatización. En el área del petróleo, no sólo se profundizó el plan Houston con la firma de nuevos contratos dentro de esta normativa, sino que también se lanzaron nuevos decretos que en lo esencial implicaban la entrega en concesión de áreas hasta ahora reservadas a YPF y la eliminación de la obligatoriedad que tenían los contratistas de venderle el crudo a la petrolera estatal.

¿PUEDE MENEM LOGRAR LA ESTABILIDAD ECONOMICA SIN UN ACUERDO SOCIAL?

La obtención de una estabilidad duradera es el objetivo central de la primera etapa de la política económica del gobierno y, siguiendo su misma lógica, el equilibrio fiscal es la condición necesaria de esta estabilidad. Para alcanzar la estabilización, en el corto plazo se impuso una reestructuración de precios relativos que efectivamente comenzó a cerrar el déficit operativo en el tercer mes de gobierno, complementada con un acuerdo de precios. En una primera observación, la estabilización pareciera tener éxito: la brecha cambiaria es prácticamente nula, y la inflación y las tasas de interés mensuales se encuentran en un dígito en el mes de setiembre.

Sin embargo, la nueva estructura de precios relativos no ha dejado conforme prácticamente a ningún sector. Los exportadores se quejan del atraso cambiario, las tarifas apenas alcanzan para cubrir los gastos operativos de las empresas públicas y los salarios consolidaron una caída de entre el 30 y el 40% durante el año. Las manifestaciones de esta disconformidad ya son perceptibles: las primeras huelgas, pronunciamientos de las corporaciones empresarias sobre el sesgo antiexportador del plan y las remesas del Tesoro a empresas y provincias no pueden ser eliminadas totalmente. Obviamente, los únicos sectores que no se quejan son los que ingresando capitales de corto plazo hacen ganancias sustanciales en dólares y mantienen la estabilidad transitoria del mercado cambiario.

Admitiendo la volatilidad de la situación, el gobierno lanzó las tres leyes que proveerían sustento a una estabilización duradera a través de las reformas a la estructura económica. Sin embargo, ni la ley de emergencia ni la de Reforma del Estado contribuirán decisivamente a la estabilización. La primera opera como un préstamo al Estado a un plazo de un año y sus efectos han sido menguados en el paso por el Congreso al limitarse el recorte de los subsidios.

La creación de un nuevo régimen de Compre Nacional o de una nueva Carta Orgánica del BCRA dispuestos por la Ley de emergencia ciertamente son cambios que hacen a la estructura de la economía, pero difícilmente tengan efectos estabilizadores en el corto plazo. La Ley de Reforma del Estado tampoco pareciera tener un efecto decisivo en la recuperación de las finanzas públicas en lo inmediato: la base imponible sólo se ampliará lentamente, si se produce el crecimiento de nuevas actividades; la privatización comenzará por actividades superavitarias, o por lo menos no deficitarias; el ingreso de capitales se hará mediante el mecanismo de la capitalización, etc.

Sin dudas, la esencia del equilibrio fiscal en el nuevo esquema económico es la Reforma Tributaria. Esta tiene el mérito innegable de pretender simplificar el sistema, pero a la vez tiene objetivos cuantitativos probablemente difíciles de alcanzar (aumentar la recaudación en nueve puntos del PBI, U$S 5.247 millones) y un sesgo claramente regresivo.

La imposición de mayor presión fiscal a los sectores de ingresos bajos y medios a partir de un piso tan deprimido será resistida. Hay suficiente consenso en la sociedad en que la estabilidad es un objetivo valioso, y que la obtención de un financiamiento genuino para las actividades del Estado contribuye a la estabilidad, pero probablemente no pase mucho tiempo antes de que amplios sectores sociales quieran constatar cuál es el aporte del sector del capital en este esfuerzo colectivo.

Es en ese punto en que la imposición en forma duradera de una nueva estructura y dinámica de precios, que permita financiar las actividades del Estado, demandará o bien de un aparato represivo que sofoque las rebeldías sectoriales o de un acuerdo social y político que la contenga. Un acuerdo que defina el esfuerzo de cada sector y que permita constatar los aportes relativos, para que las sospechas sobre los esfuerzos de los "otros" no paralicen los esfuerzos propios. Hasta ahora la sociedad puede "medir" el aporte de sectores como salarios, empresas públicas y provincias, pero no acierta a evaluar el aporte del capital.

La apuesta es fuertísima, más alta que la del Plan Primavera. La sociedad ya está convencida de que quiere el capitalismo, y aún más, que admite el capitalismo salvaje. Pero pronto querrá averiguar y constatar qué aportan los capitalistas para alcanzarlo y cuando conozca la respuesta probablemente se diluya toda "buena voluntad" y con ella toda ilusión de estabilidad.

En el memorándum de entendimiento firmado por el gobierno con el FMI a fines de setiembre se fijan metas para 1990 que implican la no recuperación de la brutal caída salarial de 1989, ni los niveles de actividad económica de 1988. Obsesionado por la estabilización, el gobierno insistirá durante un período prolongado con el ajuste socialmente regresivo con recesión y deja probablemente para 1991 el comienzo de la revolución productiva. ¿Será suficiente el asistencialismo, el bono solidario, el sindicalismo complaciente y las simpatías de las corporaciones y del establishment, para neutralizar las presiones que sobre la estabilidad producirán los reclamos y disconformismo de amplios sectores medios y bajos? Si no queda demostrado que el esfuerzo es equitativo, y/o de no obtenerse algún resultado económico espectacular y simbólico en un plazo relativamente breve (que las privatizaciones con capitalización y sólo en sectores rentables, las inversiones con baja capacidad de generación de empleo, las fuertes transferencias de ahorro al exterior en concepto de deuda externa sin contrapartida en inversiones líquidas, etc., no permite anticipar) la estabilización duradera pareciera ser una quimera.

LA ECONOMIA DE MENEM

Postergada la "Revolución productiva", ¿es siquiera posible la consolidación de la estabilidad?

El memorándum de entendimiento elevado por el gobierno al FMI a fines de setiembre despeja toda duda: la prioridad de la política económica es la estabilidad, la revolución productiva vendrá después. En dicho memorándum, se anuncia una meta de crecimiento del PBI del 4,5% para 1990, por lo que se estará lejos de recuperar la caída del 8% estimada para 1989. En relación a los salarios, que cayeron entre el 35 y el 40% en los primeros nueve meses de 1989, no se hace mención alguna a su recuperación y, sugerida por el gobierno para el semestre octubre 89-marzo 90, confirma que el objetivo es a lo sumo mantener sus niveles actuales.

Para alcanzar la estabilidad el gobierno trabaja en medidas de corto y largo plazo. En la coyuntura, implementó un ajuste con claras reminiscencias del Plan Primavera: shock fiscal (mediante aumento de tarifas y altas retenciones) para recuperar los ingresos públicos; contracción monetaria para elevar los rendimientos financieros y atraer capitales de corto plazo del exterior; acuerdo de precios; presión sobre las paritarias para limitar los aumentos salariales; congelamiento inicial de tipo de cambio y tarifas, y reordenamiento de la negociación con los acreedores externos. En una primera observación, las medidas tuvieron éxito en estabilizar la economía en el corto plazo. Las tasas de interés e inflación en un dígito y la sustancial reducción del déficit operativo de Tesorería son síntomas en ese sentido. Pero el ajuste de corto plazo ha cristalizado un nivel salarial más bajo que en experiencias anteriores, en particular con relación al tipo de cambio, pues ésa es la condición del modelo acentuadamente exportador hacia el que se desea avanzar. Sin embargo, detenida la hiperinflación, por el "efecto Tanzi" es posible que el asalariado perciba una mejora de su consumo, aun con ingresos menores, por la estabilidad de los precios.

La estructura de precios relativos derivada del ajuste no es intrínsecamente estable. Amplios sectores de ingresos bajos y medios han quedado con niveles de salarios sustancialmente menores a los ya deprimidos niveles de diciembre de 1988, y asimismo sectores exportadores han planteado su disconformismo y solicitado la eliminación de las retenciones. La principal medida que encara el gobierno para asegurar la consolidación en el tiempo de la estabilidad obtenida con el plan de ajuste, es la reforma tributaria. Con este instrumento (que prevé aumentar la recaudación tributaria en nueve puntos del PBI de 15% a 24%) espera cerrar definitivamente el déficit del Estado, y con otras medidas como la desregulación, la eliminación de monopolios o cuellos de botella en la provisión de insumos, el ordenamiento de la negociación externa, etc., este equilibrio fiscal complementado permitiría alcanzar la consolidación de la estabilidad.

Sin embargo, la reforma tributaria enunciada, muy basada en la ampliación de los impuestos al consumo (esencialmente en la generalización del IVA) presenta perfiles socialmente regresivos, que impactarán nuevamente sobre sectores de ingresos medios y bajos. Es decir que sobre la estructura de precios y salarios que derivó del ajuste que explícitamente se busca mantener en el tiempo, se implantaría una estructura tributaria con nulo sentido redistributivo y que podría agudizar las desigualdades en los ingresos.

La pregunta es inmediata: ¿podrá ser realmente estable un sistema que propone una situación de ingresos inicial para amplios sectores muy inferior a la de sólo un año atrás y que sólo se modificará muy lentamente en el tiempo? Si bien ha habido en los últimos meses una consistente prédica para convencer a la sociedad de la inevitabilidad del "ajuste" y de su "costo social", y un llamado a "ajustarse el cinturón" y a "arremangarse", no será sencillo que una aceptación espontánea de esta nueva situación de ingresos por parte de vastos sectores de la población se prolongue por demasiado tiempo. En este sentido, son previsibles manifestaciones de disconformismo que comprometerían la estabilidad, no sólo en su forma más obvia de planteos sindicales, sino también en pronunciamientos de la oposición política.

Es probable que el gobierno, anticipándose a este horizonte que comprometería la estabilidad, proponga la realización de un acuerdo social, un acuerdo que debería servir para contener las demandas sociales, al proponer metas concretas de crecimiento, especificar la repartición de esfuerzos entre sectores y, obviamente, reducir los márgenes de incertidumbre. Proponer, en definitiva, una mejor distribución del esfuerzo y del poco excedente económico que nuestro esquema productivo genera.

Sin embargo, no será sencillo para el gobierno instrumentar un acuerdo (que sea efectivo y no una mera formalidad) para proteger la estabilidad de su modelo. Probablemente también tenga dificultades para encontrar una representación sindical y empresaria que adhiera monolítica y efectivamente a eventuales acuerdos para sostenerlo. Asimismo, los indicios disponibles sobre el modelo socioeconómico que busca implementar el gobierno no permiten esperar que el mismo tenga una base social de sustentación muy amplia: demasiados sectores no encuentran su ubicación en él. Su obvio énfasis en la potencialidad exportadora de sectores como el agro, el petróleo, la petroquímica y la industria alimenticia deja sin ubicación clara no sólo a sectores económicos de la industria tradicional (como la siderurgia o parte de la automotriz), y a las pequeñas y medianas empresas, sino también a grupos sociales como asalariados de baja calificación, profesionales liberales de nivel intermedio, investigadores, docentes y gente de la cultura cuyas actividades eran financiadas en el pasado por el Estado, empleados públicos que han perdido parte de su poder adquisitivo o hasta su empleo por efectos de la reconversión de las empresas del Estado o de la administración central. Quienes en general estén fuera de la órbita próspera del polo que crecerá tendrán dificultades para integrarse al sistema. Si bien estos grupos y sectores que atraviesan transversalmente a la sociedad difícilmente se organicen de manera formal como un polo opositor al nuevo modelo, ejercerán sin dudas una resistencia subterránea que dificultará la eficacia de un acuerdo de estabilidad en el caso de que éste sea propuesto.

Si la estabilidad no es un resultado natural de la estructuración de ingresos derivada del ajuste y del nuevo esquema tributario, y si un eventual acuerdo social no resultara un instrumento efectivo para preservarla, el gobierno enfrentará la disyuntiva de hacer concesiones a su modelo o de apelar a formas de control social para imponerlo.

IN - CONCLUSION

UNA AGENDA PARA LA ARGENTINA DE LOS PROXIMOS AÑOS

Fiel a la idea inicial, que quiso que ésta fuera una simple crónica de hechos que pasaron, no habrá en este punto una conclusión, ni una interpretación, ni siquiera profecías. Basta una modesta comprobación: la Argentina no se terminó aquí. Sigue, y sería bueno que siga con nuevas energías y nuevas perspectivas.

Como contribución a este deseo, y fiel a la intención que me movió desde el principio, que no fue otra que hacer trabajar las células grises de mis lectores, querría proponer una agenda tentativa de los temas a discutir en la Argentina de hoy, que es ya, nos guste o no, la Argentina del año 2000.

1. La viabilidad de la democracia

En las sociedades capitalistas occidentales, la democracia ha estado históricamente asociada con el desarrollo del capitalismo, la ampliación de la masa distribuible, la legitimación de las demandas y una aceptación (por la sociedad) de valores relacionados con la equidad. Si a los argentinos nos llevó siete años, lo que insumió el llamado "Proceso" militar, crear un consenso sobre la necesidad de un régimen democrático, los seis años del gobierno que terminó, y que terminó con la virtual guerra económica que refleja esta crónica, parecen haber creado un consenso sobre la necesidad de una transformación económica. Ambos aspectos son complementarios. La transformación económica necesita de la democracia para que sea el resultado de la voluntad mayoritaria, y no de una decisión de las cúpulas. Y a su vez la democracia no es viable sin un acuerdo económico de convivencia. Si al término de su infancia feliz y opulenta, en 1930, la Argentina hubiese enfrentado con verdadero espíritu democrático el esfuerzo doloroso de madurar en un mundo cada vez más hostil y competitivo, hoy las cosas no se presentarían tan espinosas.

Debe quedar claro entonces, para una correcta discusión sobre este punto, que el modelo de crecimiento argentino se agotó y con ello se agotaron las posibilidades de satisfacer las demandas de la población y que como consecuencia de ello toda la sociedad empezó a convulsionarse. Que la violencia política de mediados de los años 70 fue la señal de que se había llegado a un límite en el cual era necesario tomar una decisión profunda y definitiva sobre el sistema político que se emplearía en lo sucesivo para administrar la convivencia. Probablemente la violencia económica de fines de los 80 sea el momento inicial en que se produjo una decisión sobre el sistema económico que permitirá satisfacer mejor las aspiraciones colectivas.

Debemos aprender a ponernos serios. Debemos aprender las lecciones de la economía y comenzar a enfrentar nuestras resistencias enormes a cualquier cambio profundo. Esta es la responsabilidad de los gobernantes y de la dirigencia política; la articulación entre la democracia, las libertades políticas y la transformación económica no será sencilla. Pero es responsabilidad de todos.

2. *Las alternativas políticas reales para nuestra democracia*

Peronismo y radicalismo son las dos alternativas inmediatas que seguirán en pie, transformación y oscilaciones mediante, en la próxima década. El peronismo es la base de la legitimidad del proyecto político actual, que logra avanzar con un programa para el que como nunca hasta ahora la sociedad había prestado consenso.

El peronismo nació asociado a un proyecto de inclusión social, de ciudadanización política y de distribución en los beneficios. Ser peronista es suponer que su gobierno está para eso. Presumiblemente, y a medida que este proyecto se desarrolle y avance, esa identidad se verá más cuestionada; el problema en ese momento podrá o no trascender a la sociedad.

No debemos olvidar que toda fuerza política constituye su identidad (quiénes somos nosotros) mirando su pasado (somos lo que fuimos) y mirando al frente (somos los enemigos de éstos). Y ésta es la principal disyuntiva que la coalición actual del gobierno debe enfrentar. La oposición será un radicalismo que pueda ofrecer, e interese con ello a la sociedad, una opción socialdemócrata con mayor o menor sesgo liberal.

3. *La función del Estado*

Hoy asistimos al éxito pleno, en el plano ideológico, de la crítica del Estado. A partir de los excesos del estatismo y de un anquilosamiento acerca de cuáles son sus modos de acción, el liberalismo ha logrado abrirse paso en la opinión pública, envolviendo en la crítica a toda forma de "Estado benefactor" y acaso toda forma de control de actividad económica.

Las razones de equidad social y de sana asignación de recursos, a través de un sistema impositivo justo, de la cual el Estado es garante, no es observable hoy. Por el contrario, la situación del Estado argentino dista de dar cumplimiento a esos principios. La estructura de producción de bienes y servicios por parte del Estado y la forma en que se financia ponen de manifiesto la presencia de transferencias de recursos y la existencia de subsidios que carecen por completo de transparencia. La naturaleza del "capitalismo asistido" que caracteriza a nuestro sistema económico se manifiesta no sólo en los múltiples mecanismos de protección y de regulación, sino también en la socialización de costos privados.

La ineficiencia real del Estado ha servido para condenar también todos sus aspectos positivos y progresistas. El "Estado benefactor" en realidad es el fruto de una serie de conquistas, a las que entre nosotros no fue ajeno, por cierto, el peronismo.

Queda como tema de la agenda, como tema de debate, el hecho de que un Estado descabezado, con incapacidad para formular políticas y en el que presionen los intereses sectoriales es, a la vez, y en aparente paradoja, un Estado fuertemente centralizado. En consecuencia, desde este diagnóstico, se requiere sin duda una acción vigorosa, apoyo social, y adecuada conducción política, así como capacidad técnica para su modificación y renovación.

4. *La necesidad del pluralismo*

Este es uno de los grandes logros de la Argentina liberal, y su deterioro desde 1930 es el mismo deterioro que sufrió el país. El gobierno radical puede exhibir un proceder claro en este rubro. Es cierto sin embargo que la prolongada decadencia económica ha creado una masa de marginados que, con su escasa experiencia en participación democrática, su alto grado de desorganización social y sus comprobadas tendencias al autoritarismo, probablemente oscilen entre la apatía política, la esperanza mesiánica y la violencia endémica.

La democracia es pluralismo, y ésa es la naturaleza de la democracia, la que permite una mayor expresión de las resistencias al cambio que las dictaduras. En este último sistema, tomada una decisión en la cúpula como, por ejemplo, avanzar hacia un sistema capitalista ortodoxo con un alto costo social, esto se impone sobre los sectores sociales. En la democracia, se expresa la desconfianza sectorial y el consenso debe renovarse cotidianamente.

Pero éste es precisamente el sistema que permite que la economía resultante sea el reflejo de la voluntad mayoritaria. El consenso final obtenido sobre la nueva economía (y sobre sus instrumentos) no agota los desafíos sino que los hace mayores. Al capitalismo centrado en la producción se puede llegar por vías diferenciadas. Esperamos que la apertura y la desregulación den mayor competitividad a la economía; que la privatización de algunas empresas públicas mejore la eficiencia global y reduzca el déficit fiscal; que la reforma del aparato estatal le dé mayor eficacia; que la reforma tributaria combinada con la reducción de los subsidios permita recuperar el financiamiento genuino de las actividades del Estado que se desee preservar y no perturbar la política monetaria; que en relación con el manejo de la deuda externa, el Plan Brady o sus variantes, combinado con un reacercamiento a los organismos internacionales, reduzca la presión de la deuda sobre el frente externo.

5. *Los marginados*

La existencia misma de los "marginados" debe estar en la agenda. Una deplorable inercia nos ha llevado a dar por sentada a esta franja social como si fuese un elemento inevitable. Es preciso repetir que un marginado deja de serlo cuando tiene trabajo. Y cualquiera sea el costo de la transformación económica que la Argentina requiera, ésta no debería carecer de posibilidades de inserción para los hoy marginados en el sistema productivo.

6. *El reparto de esfuerzos*

Marginados o no, todos los argentinos participamos de una costosa transformación, que llevamos más de medio siglo postergando. Poner el hombro o no, dependerá de cómo se visualice la equidad en el reparto de los esfuerzos. Aun logrando consenso para el cambio y sus instrumentos, la agenda debe incluir una reflexión sobre los detalles de implementación, pues de ellos dependerá el esfuerzo relativo de cada sector. Entre estos detalles podemos mencionar: el ritmo, grado y especificidad de la apertura económica; las modalidades y alcance del proceso de privatización; el poder de policía que se reserve o no el Estado; la utilización de subsidios al desempleo o de un alto nivel de empleo público para paliar el déficit en la generación de puestos de trabajo; el grado de participación de la pequeña y mediana empresa en un nuevo esquema de economía abierta donde la escala de producción, la capacidad financiera y la actualización tecnológica son claves; la privatización o no de actividades rentables actualmente en manos del Estado; la reforma y/o eliminación de la promoción industrial; la actitud de confrontación y/o negociación con los acreedores externos.

Pues bien. La agenda no pretende ser exhaustiva. Hay otros temas que no podrán faltar; por ejemplo la educación, en la que tenemos lamentables antecedentes de dilapidación de capital humano, por el deterioro del sistema y la pérdida de cientos de miles de brillantes argentinos emigrados. El niño que fue la Argentina, con cuyas travesuras y picardías para sobrevivir nos hemos venido entreteniendo desde hace décadas, hoy se encuentra adulto, pobre y agotada su provisión de trucos y rebusques. Es hora de ponerse a pensar no cómo sobrevivir un turno más, sino cómo vivir, en serio y definitivamente.

Jorge Garfunkel

La conspiración de los banqueros

El país está en crisis. La inflación desbocada, el peso de la deuda externa y las duras exigencias del FMI lo han sumergido en una grave recesión. En un vibrante mensaje al pueblo, el presidente Alfonso pide austeridad y vaticina tiempos de penuria, mientras el ministro Susurro, inefable tecnócrata, languidece entre tablas comparativas y cifras anacrónicas.

Jordan Gurfel, banquero joven y emprendedor, planea una operación audaz e inedita, para conseguir las divisas que el país necesita, con la complicidad de Grisbard, el irascible hombre de confianza del Presidente.

¿Logrará sobreponerse a sus inescrupulosos colegas, banqueros, del país y del exterior, que defienden sus propios intereses? ¿Es posible vulnerar el secreto bancario que caracteriza al sistema suizo? *Jorge Garfunkel* conoce bien el ambiente que describe. *La conspiración de los banqueros* es una novela de candente actualidad, que desnuda los entretelones del mundo de las altas finanzas y la banca internacional.

Jorge Garfunkel

Alfonso y sus fantasmas

Alfonso sigue siendo presidente. Aún enfrenta los problemas que lo desvelaron en *La conspiración de los banqueros*. Pero recibirá una ayuda inesperada del otro mundo: una serie de ilustres fantasmas —Sarmiento, Mitre, Ceferino Namuncurá, Perón, Gardel, entre otros— lo visitan para dialogar sobre el pasado, el presente y el futuro del país; sobre las castas políticas, sindicales, militares y eclesiásticas; sobre los ricos y los pobres, la intelectualidad autóctona e incluso —¿por qué no?- sobre el legendario y nunca bien definido Ser Nacional.

Jorge Garfunkel, banquero de profesión, apasionado observador del país por vocación, ha escrito este libro notable, doblemente polémico, por su original interpretación del pasado y la actualidad argentinos, y por el osado desparpajo con que desfilan los próceres, y los mitos populares en desopilantes diálogos con el incansable Primer Mandatario.